천

시작하는

10대들의 경제학

천 원으로 시작하는 10대들의 경제학

김영옥 지음

다른

100
500

들어가며

부자는 되고 싶지만 경제는 어려운 너에게

강사 자, 금융에 대해 배워 볼까요?

학생 금융이요? 금연교육인 줄 알고 들어왔는데….

강사 금리가 뭘까요?

학생 네? 금니? 금이빨이요?

강사 인플레이션이란 단어를 들어 본 적 있나요?

학생 임플란트는 아는데 인플레이션은 처음 들어요.

강사 요즘 뉴스에 자주 나오는 '가계 부채'는 무슨 뜻일까요?

학생 ….

중학교에 경제 수업을 하러 가면 종종 볼 수 있는 모습입니다. 금융, 금리, 인플레이션, 가계 부채 모두 뉴스나 티비 광고 등에서 한 번쯤은 들어 봤을 법한 단어입니다. 하지만 관심이 없어서 흘려들은 경우가 많지요. 수업에서 이런 이야기를 꺼내면 '아직 학생인데 경제를 알아야 하나?', '나중에 대학을 경제학과로 갈 것도 아닌데', '굳이 지금 알 필요가 있을까' 하는 표정들입니다.

제가 이미 경제를 배웠다고요?

사실 우리는 초등학교 때 경제공부를 시작했습니다. 특히 4학년 2학기 사회과목의 '필요한 것의 생산과 교환' 단원에서 희소성과 기회비용에 대해 배우지요. 실제로 초등학교에 수업을 가면 다들 초롱초롱한 눈망울로 대답도 잘합니다. 6학년까지만 하더라도 그동안 배웠던 개념을 곧잘 기억합니다.

그런데 참 신기하게도 중학교에 가서 희소성과 기회비용을 물어보면 대답하는 학생이 많지 않습니다. 초등학교 4학년 때 배웠는데 기억하냐고 물으면 가뭄에 콩 나듯 한두 명만 손을 듭니다. 새로운 개념이 들어오면 그전에 배웠던 것은 사라지는 '지식 총량의 법칙'이 작용하는 걸까요? 점점 몰려오는 학업 스트레스 때문에 기억 너머로 사라지는 걸까요? 많은 학생이 경제상식은 지금 당장은 필요 없다고 생각하는 모양입니다. 사실 살면서 꼭 필요한 지식인데 말이죠.

우리는 어른이 되면 자연스럽게 경제상식이 늘어날 것이라 생각합니다. 저절로 합리적인 경제생활을 할 수 있을 것 같지요. 하지만 어른들 중에서도 경제를 잘 모르고 금융생활도 잘 못하는 사람이 생각보다 많습니다.

돈은 좋지만 경제는 싫어요!

실제 학생들은 경제에 대해 어떻게 인식하고 있을까요? 전국의 중학생 286명에게 경제에 대해 알고 싶은 것이 있는지 물어봤습니다. 그 중 한 항목을 소개합니다.

다음 중 알고 싶은 경제 개념에 동그라미표 하세요.

(여러 개 선택 가능)

저축 / 이자 / 주식 / 환율 / 비트코인 / 아르바이트 / 소비생활 / 신용카드 / 체크카드 / 부자 되는 방법 / 보험 / 수요와 공급 / 가격결정 / 물가 / 암호화폐 / 긱경제 / 스마트페이 / 플랫폼 / 구독경제 / 최저임금 / 금리 / 펀드 / 무역전쟁 / 재테크 / 신용 / 인플레이션 / 복리와 단리 / 희소성 / 기회비용 / 경기변동

학생들은 어떤 개념에 관심을 보였을까요? 설문조사 결과에 따르면 이자, 부자 되는 방법, 주식, 신용카드와 체크카드, 아르바이트, 비트코인 등이 궁금하다고 표시했습니다. 돈을 많이 벌 수 있는 방법을 제일 먼저 알고 싶어 했지요.

하지만 다른 경제용어에는 관심이 적었습니다. 수요와 공급, 인플레이션, 복리와 단리 같은 단어는 시험에나 나오는 것이고 이해하기도 어렵다고 생각했습니다. 돈과 관련된 것들은 궁금하지만 경제는 공부하고 싶지 않은 것입니다.

세상에는 중요한 것이 참 많지만 그중에서도 어린아이부터 어른까지 다 좋아하고 중요하다고 생각하는 것이 '돈'입니다. 경제는 어렵고 멀게 느껴도 돈은 가깝고 실질적이라고 생각합니다. 모두가 부자를 꿈꾸지만 경제는 별로 알고 싶어 하지 않으니 참 아이러니합니다. 경제와 돈은 떼려야 뗄 수 없는 관계인데 말입니다.

왜 경제를 배워야 할까요?

경제를 공부해야 하는 이유는 뭘까요? 돈을 많이 벌기 위해서일까요? 물론 틀린 말은 아닙니다. 하지만 좀더 정확한 이유는 경제가 바로 우리의 생활이라는 것입니다. 우리의 일상은 대부분이 경제라고 해도 지나친 말이 아닙니다.

우리는 경제지식이 있어야 보다 합리적인 선택을 할 수 있습니다. 경제는 적은 자원, 돈을 가지고 어떻게 하면 덜 후회하느냐를 고민하는 과정이기 때문입니다.

경제의 흐름을 알면 세상을 바라보는 시선도 생깁니다. 일상에서 경제적 사고를 하고 그 흐름을 이해하면 돈의 흐름을 읽고 부자가 되는 방법에 더 가까워질 수 있습니다.

이 책은 경제개념과 우리가 사용하는 돈, 용돈을 연결해 좀더 현실적으로 와닿게 하기 위해 썼습니다. 경제공부는 어렵다고 생각하는 학생들이 경제의 흐름을 읽고 돈에 대한 감각을 키울 수 있게 했습니다. 어른이 되기 전에 경제를 아는 것이 살아가는 데 정말 중요하다는 것을 인식하도록 말이죠.

경제가 어렵게 느껴지는 것은 경제용어나 경제이론이 어렵기 때문일까요? 아니면 정치, 사회, 경제가 복잡하게 얽혀 있기 때문일까요? 경제이론도 어렵고 사회현상도 복잡합니다.

하지만 복잡하고 어렵다고 알려고 하지 않으면 제대로 된 경제생활을 할 수 없습니다. 경제를 모르는 것은 길이 복잡하고 어려우니 그냥 눈을 감고 가겠다는 것과 같습니다. 목적지까지 안내를 해 주는 네비게이션처럼 실생활과 관련된 경제상식을 쉽게 알려 주는 안내자가 있다면 편리하겠죠?

꽉 막힌 병이나 깡통 뚜껑을 여는 데 사용하는 오프너opener처럼 이 책이 경제는 어렵다는 생각을 걷어 내고 답답함을 시원하게 해소하는 '경제 오프너'가 되었으면 좋겠습니다.

김영옥

주인공 소개

유빈

하굣길에 편의점에 들르는 게 가장 즐거운 중1.
자신의 감정에 솔직한 편이다. 돈을 쓸 때 행복을 느끼지만
초등학생 때와는 달리 용돈이 항상 부족하다.

엄마

우리 집 경제를 꽉 잡고 있는 '가정'재정부 장관이자
유빈이의 베스트프렌드.
자기주장이 강해지는 유빈이에게 경제 마인드를 심어 주려
하지만… 사실 엄마도 월급이 항상 빠듯한 것은 비밀이다.

차례

SALE

100
500
1장

천 원으로 알아보는
수요와 공급

7교시 수업을 마치니 어김없이 배 속에서 알람이 울렸습니다. 유빈이는 학교 앞 편의점에 들러 바나나 우유를 사 마시기로 했습니다. 바나나 우유 가격은 1,000원. 때마침 평소 즐겨 마시는 바나나 우유가 원플러스원 행사를 하네요. '이럴 때 안 사면 손해지.' 유빈이는 가벼운 마음으로 바나나 우유 2개를 집었습니다. 하나는 집에 가는 길에 마시고 나머지 하나는 내일 학교에서 마실 생각이었습니다.

수요, 바나나 우유를 사고 싶어!

경제가 어렵게 느껴질 수도 있지만, 사실 알고 보면 우리 일상에서 일어나는 많은 일을 경제를 통해서 생각해 볼 수 있습니다. 유빈이가 편의점에서 바나나 우유를 산 일도 그렇습니다. 유빈이처럼 어떤 물건을 사고 싶은 마음 즉 욕구를 경제에서는 수요라고 부릅니다. 물건을 사고 싶어 하는 사람은 수요자라고 합니다. 바나나 우유를 사고 싶은 마음이 수요라면 바나나 우유를 사고 싶은 유빈이를 수요자라고 할 수 있습니다.

여기저기에서 최신 스마트폰 광고가 나오고 친구들까지 새 기종으로 바꿨다 하면 사고 싶은 마음이 더욱 간절해지죠? 이때는 사고 싶은 마음 즉 수요가 커졌다고 합니다. 단, 이 수요는 단순히 가지고 싶은 욕구만 있어서는 안 됩니다. 실제 구매를 할 수 있는 경제적인 능력이 있어야 하지요. 우리가 빌딩을 가지고 싶다고 해서 수요자는 아닌 것처럼요.

유빈이가 편의점 계산대 앞에 섰습니다. 이때 유빈이가 산 바나나 우유의 개수를 수요량이라 합니다. 우유 1개를 샀다면 수요량이 1이고 2개를 샀다면 2입니다. 마침 편의점에서 할인행사를 하네요. 그러면 자신도 모르게 3개, 4개를 사기도 하겠죠? 이것은 수요량이 늘었다고 표현합니다.

경제 쏙 정리!

수요와 수요량은 어떻게 다른가요?

수요: 물건이나 서비스를 사고자 하는 욕구
수요량: 주어진 가격에서 소비자가 구입하려고 하는 수량

집에 도착하니 엄마가 간식이라며 고구마를 잔뜩 쪄 놓았습니다.

"웬 고구마예요?"

"응, 마트에 갔더니 한 달 전보다 고구마 가격이 많이 싸졌더라고. 한 봉지만 사려다가 한 박스를 샀지 뭐니."

엄마는 이 많은 고구마를 쪄서도 먹고 삶아서도 먹고 튀겨서도 먹을 거랍니다.

엄마도 유빈이도 가격이 내리자 고구마와 우유를 더 많이 샀습니다. 이를 수요의 법칙에 따랐다고 합니다. 수요의 법칙에 따르면 가격과 수요량은 반대로 움직입니다. 수요자는 상품의 가격이 내려가면 수요량을 늘리고 상품의 가격이 올라가면 수요량을 줄입니다. 고구마 가격이 1,500원일 때는 10개를 사겠지만 1,000원일 때는 15개를 사는 것이죠. 이를 그래프로 나타낸 것이 수요곡선입니다.

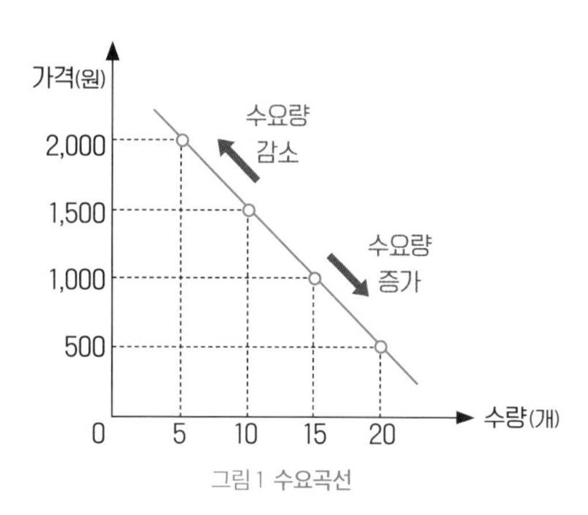

그림 1 수요곡선

수요곡선에서 세로축은 가격을 나타내고 가로축은 수요량을 나타냅니다. 저절로 수요곡선은 왼쪽에서 오른쪽으로 내려가게 됩니다. 좀 더 어려운 말로는 우하향한다고 하지요.

비싸면 적게 사고 싸면 많이 사는 것은 아주 당연해 보입니다. 하지만 수요의 법칙이 모든 경우에 해당하지는 않습니다. 이 법칙에도 예외가 있는데, 바로 '명품'입니다. 수요의 법칙에 따르면 물건의 가격이 오르면 오를수록 사려는 사람이 줄어야 합니다. 하지만 명품은 비싼 가격에도 사려는 사람이 줄을 섭니다. 오히려 가격표를 보고는 더 사고 싶어 합니다.

명품 시계, 명품 가방에는 럭셔리, 최고급이라는 단어가 수식어처럼 붙습니다. 비싼 가격이 오히려 높은 지위와 특별한 느낌을 연상시킵니다. 이렇게 가격이 오르는데도 과시욕이나 허영심 때문에 수요가 줄어들지 않는 현상을 베블런 효과라고 합니다. 19세기 말 미국의 경제학자 베블런이 그의 책 《유한계급론》에서 상류층의 과시 소비와 사치를 비판했는데 여기서 유래된 경제용어입니다.

수요의 가격 탄력성

"고구마는 역시 우유랑 먹는 게 최고예요."

유빈이는 엄지를 척 올리며 엄마를 쳐다봤습니다. 유빈이가 작년 엄마 생일 때 생일선물로 사준 머리끈이 눈에 들어왔습니다. 엄마에게 맞는 색으로 신경 써서 골랐는데 잘 쓰고 있는 것 같아 뿌듯한 마음이 들었습니다.

"엄마! 머리끈 잘 쓰고 계시네요? 아직 짱짱하죠?"

머리끈을 계속 쓰다 보면 고무줄이 축 늘어집니다. 심하면 원래 형태로 다시 돌아오지 않기도 합니다. 이렇게 외부의 변화에 반응이 없으면 '탄력이 없어졌다'고 합니다. 따라서 탄력적이라는 말은 변화에 민감하게 반응한다는 뜻입니다. 반대로 탄력적이지 못하다는 것은 변화에 잘 반응하지 않는다는 말입니다. 이를 비탄력적이라고도 합니다.

경제에서도 '탄력적이다'라는 말을 씁니다. 바로 수요의 가격 탄력성입니다. 가격이 변해도 수요량이 크게 변하지 않으면 수요의 탄력성이 낮다고 표현합니다. 버스비를 예로 들어 볼까요? 버스비가 오르더라도 사람들은 등하교나 출퇴근을 해야 하기 때문에 버스를 타는 횟수를 줄이기 쉽지 않습니다. 따라서 버스비 가격이 변해도 수요량의 변화가 적습니다. 이를 '버스 수요의 탄력성이 낮다', '비탄력적이다'고 말합니다. 잡아당겨도 잘 반응하지 않는다는 뜻이죠.

반면 초콜릿을 좋아하는 사람이 있는데 그 사람이 즐겨 찾는 브랜드의 초콜릿 가격이 올랐다고 합시다. 초콜릿 가격이 오르면 그 사람은 다른 회사의 초콜릿을 먹으면 된다고 생각할 것입니다. 이때 초콜릿은 수요의 탄력성이 높다고 말합니다. 우리가 즐겨 입는 청바지도 비슷합니다. 청바지 가격을 내렸더니 사려는 사람이 몰려들었다면, 소비자들이 가격에 민감하게 반응한 것이니 '청바지 수요의 탄력성이 높다', '탄력적이다'고 말합니다.

공급, 바나나 우유를 팔고 싶어!

자, 지금까지 수요에 대해 알아보았으니 이번에는 그 짝꿍인 공급에 대해 알아볼까요? 수요를 물건을 사는 소비자 입장에서 이해했다면, 공급은 물건을 만들어 파는 판매자 입장에서 이해해야 합니다.

바나나 우유 회사는 바나나 우유를 팔아서 돈을 벌어야 합니다. 이처럼 물건을 팔려고 하는 것을 공급이라고 합니다. 바나나 우유를 만들어서 파는 회사는 공급사라고 합니다. 바나나 우유 회사는 이왕이면 제값에 우유를 팔고 싶겠죠? 우유를 만들 때 든 비용과 벌고 싶은 이익도 고려합니다. 물건을 만드는 회사는 '이 정도 가격에 이만큼을 팔면 얼만큼 이익이겠구나' 하는 구체적인 가격과 양이 있습니다. 즉 공급량은 공급자가 특정 가격에 팔려고 하는 구체적인 수량입니다.

경제 쏙 정리!

공급과 공급량은 어떻게 다른가요?

공급: 물건이나 서비스를 팔고자 하는 욕구

공급량: 주어진 가격에서 공급자가 판매하려고 하는 수량

상품의 가격이 올라가면 공급자는 공급량을 늘릴 것입니다. 왜냐고요? 물건을 비싼 가격에 팔면 팔수록 이득이니까요. 반면 상품의 가격이 내려가면 공급자는 손해를 보면서 팔고 싶지는 않으니 공급량을 줄입니다. 바나나 우유 가격이 1,500원일 때는 20개를 팔고 싶어 하지만 1,000원일 때는 15개만 만들어 팔고 싶어 하는 것입니다. 이를 공급의 법칙이라고 합니다.

공급곡선도 수요곡선처럼 세로축은 가격입니다. 다만 가로축이 공

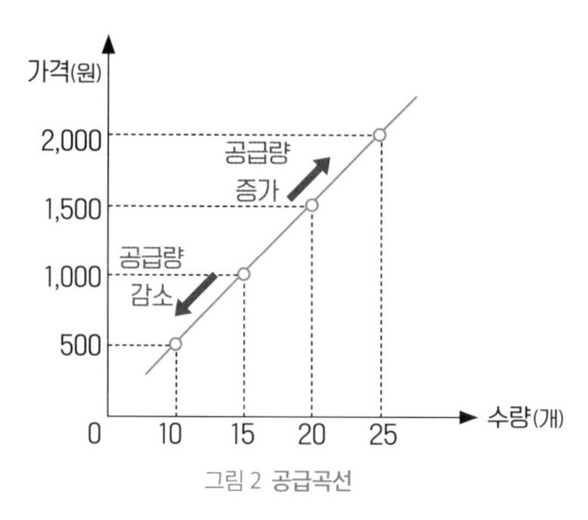

그림 2 공급곡선

급량이라는 것이 다릅니다. 공급곡선 역시 가격과 공급량의 관계를 나타냅니다. 가격이 오르면 공급량이 증가하고 가격이 내리면 공급량이 줄어드는 비례관계로, 왼쪽에서 오른쪽으로 올라가는 우상향을 이룹니다.

공급의 법칙에도 예외가 있습니다. 수요의 법칙에 예외인 경우로 베블런 효과를 알아봤지요? 공급자 입장에서도 베블런 효과에 영향을 받습니다. 많은 기업이 고급화, 차별화를 마케팅으로 내세웁니다. 한정판, 리미티드 에디션이라고 해서 특정한 시기에 일정량만 만들어 판매하지요. 한정적인 기간에만 살 수 있다는 특별함을 부각해서 소비자의 욕구를 자극하는 것입니다.

사람들이 원한다고 해서 명품을 많이 만들면 희소성이 떨어집니다. 상품이 흔해지면 명품의 가치가 없어질 수 있습니다. 따라서 명품 회사들은 가격이 오른다고 공급량을 늘리지는 않습니다. 오히려 가격과 상관없이 수량을 일정 수준으로 유지하기 때문에 공급의 법칙이 적용되지 않습니다.

다른 예외도 있습니다. 독점이라는 말을 들어 보셨나요? 한 회사가 특정 시장을 혼자 차지해 생산하는 것을 말합니다. 만약 세상의 모든 과자를 한 회사가 다 만든다면, 우리는 그 회사의 과자만 사 먹을 수밖에 없을 것입니다. 그러면 회사가 과자의 가격을 마음대로 조정할 수 있습니다. 아무리 비싸게 팔아도 소비자들은 다른 제품이 없으니 울며 겨자 먹기로 돈을 내야 하지요. 공급자가 자신에게 유리하게 가격을 정해 놓고 생산하는 상황에서도 공급의 법칙이 적용되지 않습니다.

공급의 가격 탄력성

공급에도 가격 탄력성이 있습니다. 공급의 가격 탄력성은 공급자가 가격에 얼마나 민감하게 반응하는지를 나타냅니다. 다만 가격이 올랐다고 무작정 많이 만들어 팔 수는 없습니다. 만약 노트북 가격을 올렸는데도 사람들이 계속해서 사려고 한다면 공급자는 공급량을 늘릴 것입니다. 공장에서 만드는 노트북, 볼펜, 옷 같은 공산품은 가격이 변하면 비교적 쉽게 공급량을 조절할 수 있습니다. 따라서 공급의 탄력성이 높다고 합니다.

하지만 농산물의 공급은 반응이 느립니다. 그해 예상하지 못한 가뭄이나 홍수가 일어났거나 명절에 과일을 사려는 사람이 몰려도, 사과는 바로 생산해서 공급할 수 없습니다. 사과가 다시 자라기까지 1년을 기다려야 하기 때문이죠. 따라서 이런 상품은 공급의 탄력성이 낮다고 합니다. 비탄력적이라고도 하지요. 그렇다면 세상에 딱 하나밖에 없는 골동품의 경우는 어떨까요? 사려는 사람이 아무리 많아도 같은 골동품을 또 만들어낼 수 없으니 완전 비탄력적입니다.

그렇다면 바나나 우유 가격은 누가 결정하는 걸까요? 바나나 우유를 사 먹는 소비자가 결정할까요? 아니면 바나나 우유 회사 사장님이 정할까요? 사람들은 딸기 우유를 원하는데 바나나 우유만 많이 만들면 어떤 일이 벌어질까요? 반대로 바나나 우유를 사려는 사람은 많은데 가게에 재고가 없으면 어떻게 될까요?

중요한 것은 경제가 잘 돌아가려면 가격이 제대로 작동해야 한다는 사실입니다. 물가, 금리, 환율, 최저임금 등 뉴스를 시끄럽게 만드는 모든 경제 문제에서는 어떻게 가격이 형성되었는지가 중요합니다. 경제의 기본은 가격에서 시작한다고 해도 지나친 표현이 아닙니다.

과거 중세시대에는 수공업자가 임의로 가격을 정해서 물건을 팔았다고 합니다. 상인과 수공업자 등이 모여 길드라는 조합을 만들고 길드를 통해서만 물건을 사고팔게 했습니다. 물건의 종류와 수량을 엄격하게 정해 놓은 것이지요. 그렇다면 지금의 시장경제에서는 누가 물건의 가격을 정해 주는지 궁금합니다.

가격은 수요와 공급에서 매우 중요한 역할을 합니다. 소비자는 상품의 가격을 보고 적정 가격이라고 생각할 때만 지갑을 엽니다. 적정하지 않다고 생각하면 사지 않거나 대체할 만한 다른 상품을 찾습니다. 즉 가격은 수요자의 소비 활동에 영향을 끼칩니다.

공급자도 상품의 가격을 보고 더 생산할지, 생산을 중단할지 결정합니다. 가격이 오른 상품을 더 만들면 더 많은 이익을 얻을 것이고 반대로 가격이 떨어진 상품은 덜 생산해야 손해를 줄일 것입니다.

사는 사람은 항상 싸게 사고 싶어 하고 파는 사람은 최대한 비싸게 팔고 싶어 합니다. 이러한 이해가 상충하는데 어떻게 가격이 결정된다는 것일까요?

공급만 많은 상황을 상상해 봅시다. 공급이 많아지면 공장에 재고가 쌓일 것입니다. 이것을 초과공급이라 합니다. 그러면 공급자들은 이미 만든 재고를 해결하기 위해 가격을 낮춰야 합니다. 한여름에 아이스크림이 잘 팔린다고 너무 많이 만들면 아이스크림의 재고가 넘치게 되고 공급자는 떨이로라도 처분하려고 할 것입니다. 처음에는 정가로 판매하던 옷도 몇 주 지나고 나면 할인을 하고 다른 계절로 넘어가기 전에는 파격 세일에 들어갑니다. 공급자는 과잉생산에 대해 어떻게 해서든지 손해를 줄이고자 노력합니다.

반대로 수요는 많은데 공급이 적으면 초과수요가 발생합니다. 이때는 더 많은 돈을 주고서라도 사려는 사람들 때문에 가격이 상승합니다.

피시방 사장님은 피시방의 1시간 이용료가 1,000원이면 된다 생각하고 코인노래방 사장님은 노래 4곡을 부르는 이용료로 1,000원이 적정하다고 생각합니다. 하지만 학생들이 500원이 가격으로 적정하다 생각한다면, 사장님들과 학생들의 거래가 성사되지 않습니다. 반대로 너무 싸게 서비스를 제공하면 피시방 사장님과 노래방 사장님은 손해를 볼 것입니다. 모두가 적정선의 가격이라고 생각할 때, 사장님이 가게를 열고 학생이 지갑을 열 것입니다. 이렇게 소비자는 물건을 구입할 때 얼마가 적정한지 생각하고 공급자는 물건을 판매할 때 얼마에 팔아야 이익인지 생각합니다. 수요와 공급은 평행선을 달리는 것이 아니라 수요와 공급이 만나는 지점에서 가격이 정해집니다.

물론 여기에도 여러 현실적인 변수가 작용합니다. 건물 임대료가 비싼 동네에서는 피시방 이용료가 더 비쌀 것이고 조금 비싸도 내부가 쾌적하거나 사장님이 친절하면 수요가 있을 것입니다.

2014년에 허니버터칩이라는 과자가 나왔습니다. 가격은 60그램에 1,500원으로 다른 과자에 비해 비싼 편이었습니다. 하지만 마트나 편의점에서 이 과자를 찾아볼 수가 없었습니다. 이유인즉슨 인기에 비해 허니버터칩이 턱없이 부족했기 때문입니다. 허니버터칩을 산 사람들은 마치 복권이라도 당첨된 듯 SNS에 사진을 올리며 자랑을 했고 이를 부러워하는 반응이 폭발적으로 늘어나면서 결국 허니버터칩 회사는 공장을 더 세워 공급량을 늘렸습니다.

처음 허니버터칩이 나왔을 때 과자 수량은 정해져 있는데 사려는 사람 즉 수요자가 급격히 늘어나자 부르는 것이 값인 상황이 되어 버렸습니다. 중고나라에서 정가의 세 배 가격으로 판매될 정도였지요. 이를 지켜보던 다른 과자 회사들도 앞다퉈서 과자에 꿀을 발라가며 비슷한 제품을 출시하기 시작했습니다. 이렇게 하늘을 찌르던 허니버터칩의 인기는 시간이 흐르면서 점점 시들었고 가격도 정상이 되었습니다. 지금은 어디서나 살 수 있는 흔한 과자가 되었지요.

수요와 공급이 만나는 지점

경제가 어렵다고 느껴지게 만드는 주범이 바로 그래프와 통계입니다. 복잡한 숫자와 그래프 선만 봐도 머리가 어질어질하지요. 하지만 크게 걱정할 필요는 없습니다. 이제 우리가 알아볼 그래프는 지금까지 나온 내용을 그대로 옮긴 것일 뿐이니까요. 수요와 공급이 만나 가격이 형성되는 모습을 천천히 살펴보겠습니다.

수요는 어디까지나 소비자 입장입니다. 가격이 높을 때 수요량이 적고 가격이 낮을 때 수요량이 많으니 저절로 수요곡선은 오른쪽으로 내려가는 곡선이 됩니다.

반면 공급곡선은 가격이 오르면 공급량도 증가하고 가격이 내리면 공급량이 줄어들기에 우상향 곡선을 이룹니다. 공급자도 물건을 팔아 이익을 내야 하므로 가격에 민감할 수밖에 없습니다.

수요곡선과 공급곡선을 한 그래프에 그리면 둘이 만나는 지점이 있습니다. 이곳이 수요와 공급이 만나는 지점 즉 가격입니다. 정확히는

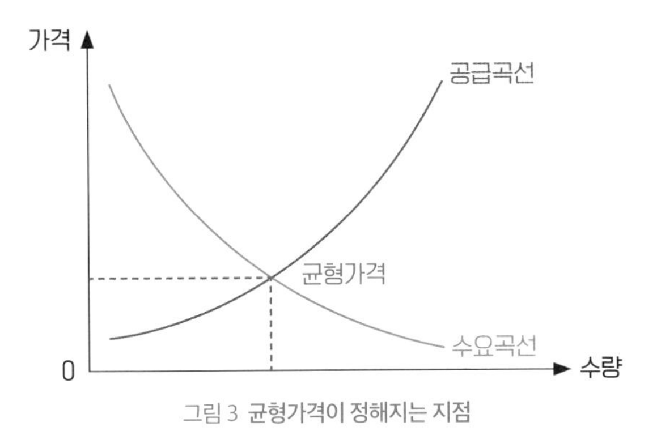

그림 3 균형가격이 정해지는 지점

균형가격이라고 합니다. 시장가격이라고도 하지요. 균형가격에서는 시장의 수요량과 공급량이 정확히 일치해 초과수요와 초과공급이 존재하지 않습니다. 이때의 거래량을 균형거래량이라 합니다.

영국의 경제학자 앨프리드 마셜은 이 수요곡선과 공급곡선이 만나는 모습을 가지고 재밌는 비유를 들었습니다. '양날의 가위'로 표현한 것입니다. 가위의 위 날만 가지고 종이를 자를 수는 없습니다. 마찬가지로 아래 날만 있어도 안 됩니다. 가위의 위 날과 아래 날이 서로 만나야 종이가 잘리지요.

가격도 마찬가지입니다. 시장에서 물건이 거래되려면 가위의 아래 날에 해당하는 수요곡선과 위 날에 해당하는 공급곡선이 동시에 작동해야 하며, 둘이 만나는 곳에서 가격이 결정됩니다.

수요량과 수요는 어떻게 다를까?

좋아하는 아이스크림의 가격이 올랐다고 합시다. 2개를 사려다가도 어쩔 수 없이 1개로 구입 양을 줄이게 되지요. 이렇게 가격이 올라 구입하려는 양이 변하는 것을 수요량의 변화라고 합니다. 담배 가격이 오르면 담배를 줄이거나 끊는 사람이 생깁니다. 이것도 역시 수요량이 감소한 것입니다. 수요곡선이 가격과 수요량의 변화 관계를 나타낸 그래프이므로 수요량의 변화는 수요곡선 위에서 움직입니다.B→A

그런데 가격 말고 다른 요인이 변하면 어떻게 될까요? 소득이 늘거나 아이스크림 취향이 달라지거나 비슷한 다른 아이스크림의 가격이 변한다면, 사려는 마음 즉 수요가 변할 수 있습니다. 수요의 변화는 가격 이외의 변수들로 사려는 마음이 변하는 것입니다. 금연광고는 담배를 피우고 싶은 욕구를 줄이는 정책으로 수요의 감소를 가져옵니다. 이런

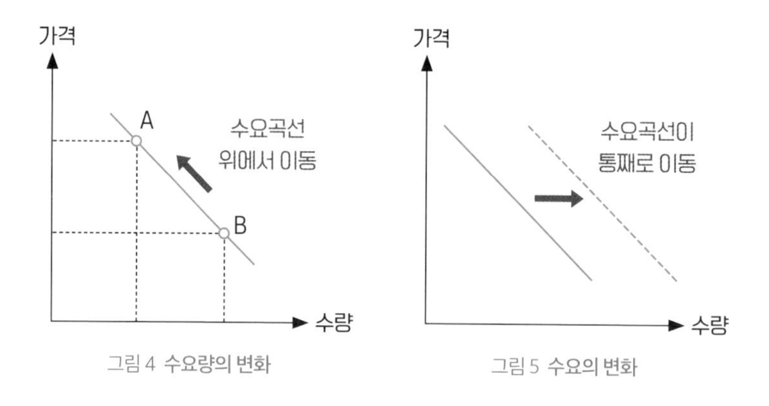

그림 4 수요량의 변화

그림 5 수요의 변화

수요의 변화가 생기면 수요곡선이 통째로 이동합니다.

공급의 변화와 공급량의 변화도 비슷한 차이를 보입니다. 파는 사람 입장에서는 가격이 오르면 더 많이 팔고 싶어져 공급량을 늘립니다. 반대로 가격이 내리면 공급량을 줄입니다. 공급곡선은 가격과 공급량의 관계이므로 공급량의 변화는 공급곡선 위에서 움직입니다.B→A

그런데 가격 외의 요인, 즉 생산기술이 발전했거나 기업의 목표가 바뀌었거나 다른 연관된 물건들에 변화가 있으면 판매자 입장에서는 공급 수준 자체를 바꾸고 싶을 수 있습니다. 따라서 공급의 변화는 공급곡선이 통째로 이동합니다.

코로나19로 전 세계가 공황에 빠졌습니다. 특히 마스크 물량이 부족해 어려움을 겪었습니다. 수요가 폭발적으로 늘어 사고 싶어도 살 수 없었습니다. 수요곡선이 크게 이동한 것입니다. 마스크를 대체할 만한 물건도 없고 공급 자체가 적은데 수요가 늘어나니 한때 마스크

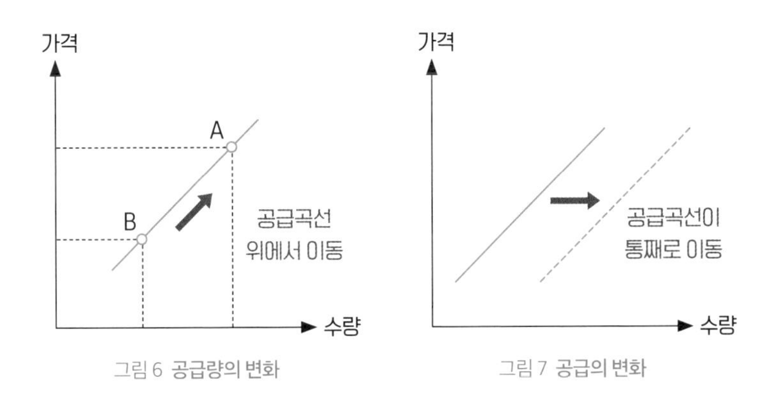

그림 6 공급량의 변화 그림 7 공급의 변화

가격이 천정부지로 오르고 구하기도 힘들었지요. 마스크 시장이 제대로 작동되지 않자 결국 정부가 시장에 개입해 공적 마스크를 대량 공급했고 마스크 시장은 안정되기 시작했습니다. 수요와 공급이 어느 정도 맞아떨어지면서 균형가격을 이루게 되었습니다.

내 용돈의 가격은 얼마일까?

여러분은 한 달에 용돈을 얼마씩 받나요? 현실적으로 얼마를 받아야 만족할까요? 어른들은 매달 월급을 받으면서도 여기저기에 쓸 곳이 많아 빠듯하다고 말합니다. 학생도 마찬가지입니다. 용돈을 받지만 늘 부족합니다.

용돈을 받는 방식은 사람마다 다릅니다. 어떤 학생은 그때그때 필요한 만큼 받기도 하고 어떤 학생은 일주일이나 한 달에 한 번씩 용돈을 받습니다. 어떤 학생은 용돈을 받지 않는다고도 합니다.

학생들은 용돈을 주로 어디에 쓸까요? 간식을 사 먹거나, 노래방과 피시방에 가거나, 옷, 신발, 화장품, 친구 생일선물, 아이돌 굿즈, 컴퓨터 부품 등을 삽니다. 영화관과 놀이동산 가기도 빠질 수 없죠. 그리고 가끔은 저축을 합니다. 학생들이 실제 돈을 얼마나 받고 쓰는지 전국 중학생 286명을 대상으로 설문조사를 했습니다.

용돈을 며칠마다 한 번씩 받나요? (2019년 12월 조사)

일주일에 한 번 받는다 - 22%

한 달에 한 번 받는다 - 27%

그때그때 받는다 -30%

안 받는다 - 9%

무응답 - 12%

하루 평균 얼마 정도의 돈을 쓰나요?

1,000원 - 11%

2,000원 - 17%

3,000원 - 14%

5,000원 이상 - 15%

그때그때마다 다르다 - 4%

돈을 안 쓰는 날이 더 많다 - 7%

잘 모른다 - 6%

무응답 - 26%

일주일에 1,000원도 안 쓴다는 학생이 있는가 하면 일주일에 몇만 원을 쓴다는 학생도 있었습니다. 얼마를 쓰는지 모르는 학생도 많았습니다. 대부분은 하루에 얼마 정도 쓰는지 묻는 질문에 1,000원에서

3,000원 정도를 쓴다고 답했습니다.

부모님께 받는 용돈이 얼마가 되면 좋을지 생각해 봤나요? 적정한 금액이 아니라면 어떻게 용돈을 더 올려 받을 수 있을까요?

용돈을 받는 자녀수요자는 더 많은 돈을 원할 것이고 용돈을 공급하는 부모님공급자은 자신이 생각하는 적정선을 정해 용돈을 지급하려고 할 것입니다.

현실적으로 한 달에 얼마를 받을지는 4만 원, 8만 원, 10만 원 등 다양합니다. 설령 자신이 원하는 용돈을 받는다고 해도 또 다른 문제가 발생합니다. 사람들의 소득이 늘어나면 물건을 사려는 수요가 증가합니다. 우리도 원하는 금액만큼 용돈을 올려 받으면 더 많은 것을 사려고 할 것입니다.

일상생활에 필요한 것들 말고도 그때그때 큰돈이 들어가는 경우가 있습니다. 가방을 사고 옷을 사고 신발을 살 때, 계절이 바뀌고 유행이 바뀔 때마다 이런 문제는 다시 한번 협상 테이블에 올라옵니다.

신발과 옷, 가방 등을 살 때 유명상표, 다른 말로 메이커 제품이 눈길을 끌 때가 많습니다. 값비싼 물건이지만 친구들이 사면 덩달아 가지고 싶은 마음이 생깁니다. 하지만 부모님은 자녀가 원한다고 다 사 주지 않습니다. 꼭 필요한 물건인지, 적정한 금액인지를 먼저 봅니다. 너무 비싸다고 판단하면 그와 비슷한 대체재를 사는 것도 제안합니다.

용돈은 빠듯한데 큰돈을 쓸 일이 생기면 여러분은 어떻게 원하는 물건을 얻나요? 어떻게 해서든 부모님을 설득시키나요? 아니면 부모님과 싸워서 결국 얻어 내나요?

형제자매가 있다면 용돈을 모아 함께 원하는 물건을 사고 공유하는 것도 방법일 수 있습니다. 아니면 원하는 물건의 가격이 떨어질 때까지 기다리는 것도 방법입니다.

또래 친구들이 용돈을 어떻게 받고 어떻게 사용하는지 이야기를 나눠 보는 것을 추천합니다. 용돈에 관해 시장 조사를 하고 부모님과 용돈 협상을 하는 것도 아주 경제적인 사고이므로 일상에서 경제를 적용해 보는 좋은 사례가 될 것입니다.

용돈 공급이 늘었어요!

가족 단톡방에 엄마가 공지 하나를 올렸습니다.

엄마 이번에 회사에서 특별 보너스를 준다네. 그래서 모처럼 한턱 내려고 해.

유빈 와! 진짜요? 얼마나 받는데요?

엄마 그건 비밀이지.

유빈 에이, 좀 알려 주시지.

유빈이는 한턱으로 무엇을 먹을까 행복한 고민이 앞섰습니다.

엄마　주말에 외식으로 뭐 먹고 싶은지 카톡 남겨 봐.

유빈　갑자기 물어보시니 생각이 안 나는데요.

엄마　그래? 그럼 정해지면 단톡방에 올릴래? 의견을 종합해서 알려 줄게.

엄마는 가족 단톡방에서 어떤 음식을 먹고 싶은지 수요조사를 하겠다고 했습니다. 단톡방에 하나둘 답장이 올라왔습니다.

유빈　꽃등심 한번 먹고 싶어요.

언니　유명한 스테이크 집에서 고기 썰고 싶은데….

아빠　나는 아무거나 괜찮음.

엄마　의견이 다 다르네. 좀더 생각해 보고 다시 카톡 할게.

엄마는 바빠서 다시 연락한다고 하고는 한참을 감감무소식이었습니다. 유빈이는 주말 외식 메뉴가 꽃등심이 될지 스테이크가 될지 즐거운 상상을 하며 시간을 보냈습니다.

엄마가 퇴근을 하고 집에 들어왔습니다.

"엄마! 메뉴 결정하셨어요?"

엄마가 현관에서 신발을 벗기도 전에 유빈이가 물었습니다.

"그게 말이야. 이번 주말은 좀 힘들 것 같아. 갑자기 약속이 잡히는 바람에…."

"뭐예요? 우리랑 먼저 약속하셨잖아요."

"미안. 외식은 다음에 하고…. 자! 기분이다."

엄마는 말도 끝내기 전에 지갑을 꺼내고는 유빈이에게 용돈을 줬습니다. 옆에 있던 아빠는 한마디 했습니다.

"그렇게 기분 삼아 용돈 주지 말라니까요…."

"뭐 어때요. 보너스도 받았으니 우리 딸 용돈 좀 주는 건데요."

"맞아요. 소득이 늘면 베풀고 그래야죠?"

유빈이는 용돈을 뺏길 수 있다는 생각에 후다닥 방으로 들어가 버렸습니다. 그러고 침대에 누워 갑자기 생긴 용돈으로 무엇을 살지 행복한 고민에 빠졌습니다. 뜻밖의 용돈 공급으로 그동안 사고 싶었던 무선 이어폰에 대한 수요가 마구마구 샘솟았습니다.

100
500
2장

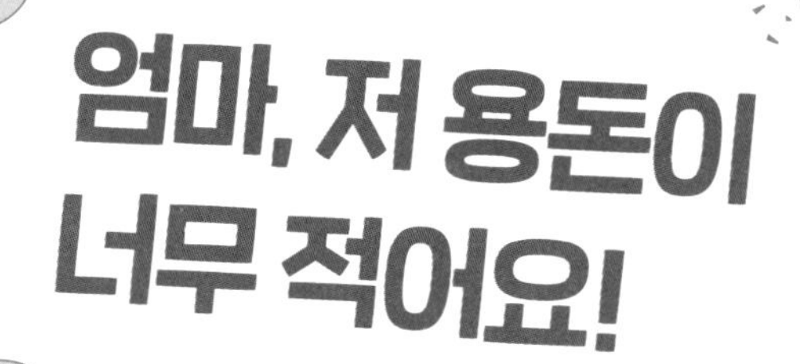

엄마, 저 용돈이 너무 적어요!

5천 원으로 알아보는
소비와 한계효용

유빈이는 이제 더 이상 놀이터에서 친구들을 만나지 않습니다. 어엿한 중학생인데 아직도 놀이터에서 놀 수는 없으니까요. 대신 카페에 갑니다. 카페에서 삼삼오오 모여 수행평가 이야기도 나누고 숙제도 하고 분위기도 살짝 봐가면서 수다도 떱니다. 중간고사, 기말고사 기간에는 집보다 스터디 카페가 훨씬 집중도 잘되는 것 같습니다.

"중학생이 무슨 카페야? 네 방도 있는데 집에서 공부하면 되지."

엄마는 유빈이의 행동이 이해가 되지 않습니다. 유빈이는 초등학교 때야 누구네 집에서 보자, 아파트 놀이터에서 만나자 하며 약속을 잡았지 이제는 패스트푸드점이나 카페가 편하다고 주장했습니다. 엄마도 더 이상 뭐라고 하지는 않았습니다. 요즘 유빈이는 사고 싶은 것, 하고 싶은 것이 부쩍 많아졌습니다. 초등학생 때 쓰던 필기도구도 유치하게 느껴집니다. 옷도 부모님이 알아서 사 주는 것보다 인터넷으로 직접 골라 주문하는 것이 좋습니다.

오늘은 친구 생일이라 친구들과 만나기로 했습니다. 약속한 시간이 가까워졌는데 아직 생일선물을 못 사서 부랴부랴 집을 나섰습니다. 생일파티 장소는 무한리필 고깃집입니다. 신나게 고기를 먹으며 웃고 떠드는 사이 시간이 훌쩍 지나갔습니다. 친구들이 자리를 옮겨 2차로 버블티와 마카롱을 먹으러 가자고 합니다.

'2차에서는 각자 돈을 내야 하는데….'

유빈이는 지갑을 만지작거리며 고민했습니다. 결국 집에 빨리 가야 한다고 하고 또 급하게 자리에서 일어났습니다.

'용돈이 5,000원 남았네. 이거 다 써 버리면 이번 주는 아무것도 할 수 없으니까. 아, 나도 더 놀고 싶다.'

마음은 친구들이 있는 카페에 가 있지만 어쩔 수 없이 발걸음을 집으로 돌립니다. 돈 때문에 마음껏 못 노는 현실이 야속하기만 합니다.

어떻게 현명한 소비를 할까?

초등학생 때까지는 부모님이 필요한 것을 그때그때 사 주는 경우가 많습니다. 그러다 중학생이 되면 부모로부터 독립된 생각과 행동을 하기 시작합니다. 구매와 소비에 있어서도 자신만의 개성과 취향을 생각하며 의사결정을 하게 되지요. 그리고 가족, 부모보다는 또래 친구의 생각과 의견이 중요해집니다.

흔히 청소년을 어린이도 아니고 어른도 아닌 그 중간쯤 있는 시기라고 하는데요, 나쁜 소비에 있어서만큼은 청소년과 어른의 문제점이 크게 다르지 않습니다. 사회라는 환경과 접촉하면서 우리의 새로운 가치관과 기존의 생각이 충돌합니다. 때로는 기분에 따라 반응을 합니다. SNS의 영향을 받아 최신 유행하거나 인기 있는 상품에 관심을 가지고 자신의 구매 행동에 반영합니다. 따라서 SNS을 통해 모방, 과시, 충동, 과소비 등의 소비 성향을 익히기 쉽습니다. 일회성이나 일시적일 수 있지만 이런 소비행동이 성인이 된 후에도 쭉 이어진다면 문제가 됩니다.

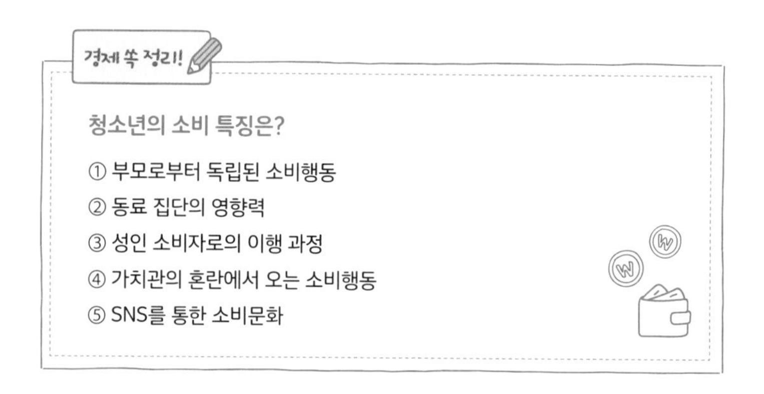

물건 가격이 싸면 정말 잘 산 걸까요? 싼 물건을 사 놓고 품질이나 개수 때문에 구입을 후회한 경험이 한 번쯤은 있을 것입니다. 어른들도 마찬가지입니다. 맥주는 꼭 4개들이로 사고 마트 할인행사 때마다 필요 없는 과자를 몇 개씩 더 집습니다. 많이 사면 살수록 개당 가격이 더 싸니 잘 샀다고 생각하면서요.

대형 마트에서는 30~50% 할인과 증정, 원플러스원 같은 행사를 다양하게 엽니다. 기존 가격을 아는 상태에서 할인된 상품을 보면 싸게 잘 산 것 같은 느낌이 듭니다. 바로 앵커링 효과 때문입니다. 앵커anchor는 닻이라는 뜻입니다. 항구에 배를 정박하려면 배가 떠나지 못하게 갈고리가 달린 닻을 걸어 놓아야 합니다. 이때 배는 연결된 밧줄의 범위 안에서만 움직이게 됩니다. 이처럼 인간의 사고도 처음 제시한 기준, 이미지에 얽매이고 이후에도 그 기준에 영향을 받아 판단을 합니다.

판매자는 이 앵커링 효과를 이용해 소비자의 지갑을 엽니다. 옷가게에서 5만 원이던 옷을 일주일 후 4만 원에 할인해 판다면 많이 싸졌다고 느낄 것입니다. 처음에는 가격을 비싸게 책정하고 이후 가격을 내린 것처럼 판매해 소비자의 심리를 꿰뚫어 보는 전략입니다.

이때 할인 광고를 보고 빠르게 반응하는 사람이 있는가 하면 그렇지 않는 사람도 있습니다. 새로운 제품에 대해 다른 사람보다 먼저 알고 신제품을 일찍 구매해 이에 대한 평가를 주변 사람에게 알리는 소비자를 얼리어댑터라고 합니다. 그리고 특정 상품이나 브랜드를 선호하며 충성도가 매우 높은 소비자는 충성고객이라고 합니다. 반면 유행에 민감하지 않고 사고 싶은 물건도 딱히 없는 무관심형도 있습니다. 가격에 상관없이 본인의 취향에 맞으면 구매하는 사람도 있습니다. 자신이 평소 어떤 유형의 소비자인지 생각해 보세요.

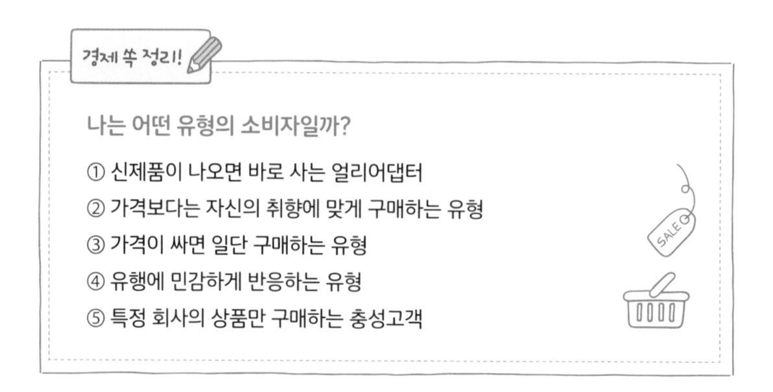

경제 쏙 정리!

나는 어떤 유형의 소비자일까?

① 신제품이 나오면 바로 사는 얼리어댑터
② 가격보다는 자신의 취향에 맞게 구매하는 유형
③ 가격이 싸면 일단 구매하는 유형
④ 유행에 민감하게 반응하는 유형
⑤ 특정 회사의 상품만 구매하는 충성고객

우리는 왜 돈을 쓸까?

인간은 욕구를 충족하기 위해 물건을 사고 서비스를 이용합니다. 이런 인간의 욕구는 니즈Needs와 원츠Wants로 나눌 수 있습니다. 비슷한 단어 같지만 자세히 살펴보면 의미가 약간 다릅니다. 니즈는 '필요'라는 뜻으로 생계에 꼭 필요한 것을 말합니다. 원츠는 '원하다'라는 뜻으로 꼭 있어야 하지는 않지만 있으면 좋은 것을 말합니다. 예를 들어 물이 니즈라면 콜라는 원츠입니다. 옷이 니즈라면 옷에 다는 배지는 원츠입니다.

하지만 이 기준이 절대적이지는 않습니다. 사람마다, 상황마다 니즈와 원츠는 달라질 수 있습니다. 콜라를 물처럼 마시는 사람은 콜라가 니즈일 것이며 패션을 중요하게 생각하는 사람은 배지도 니즈가 될 수 있습니다. 니즈와 원츠를 좋은 것과 나쁜 것 또는 필요한 것과 쓸데없는 것으로 나눠서 가치 판단하기보다는 언제든 달라질 수 있다고 생각해야 합니다.

20세기가 생존을 위해 필요한 것을 쓰는 '니즈의 시대'였다면 21세기는 '원츠의 시대'입니다. 20세기에는 먹고 사는 것을 중요하게 생각했습니다. 반면 21세기는 끼니를 해결하는 것만 중요하다고 생각하지 않습니다. 밥은 안 먹어도 아이스크림은 먹어야 하고 집은 없어도 차는 있어야 한다고 생각하는 사람이 많지요.

경제 쏙 정리!

니즈와 원츠의 차이는?

니즈: 기본적인 생활에 꼭 필요한 것들
원츠: 꼭 필요하지는 않지만 있으면 좋은 것들

미국의 심리학자 매슬로는 이런 인간의 욕구를 5단계로 나눠서 설명했습니다. 1단계는 음식, 물, 집 같이 의식주와 관련된 가장 기본적인 욕구입니다. 이를 생리적 욕구라고 불렀지요. 2단계는 자신이 안전하다 느끼는 안전의 욕구입니다. 신체적, 환경적 위험에서 벗어나려는 욕구입니다. 3단계는 친구, 가족 등과 관계를 맺고 집단에 소속되길 원

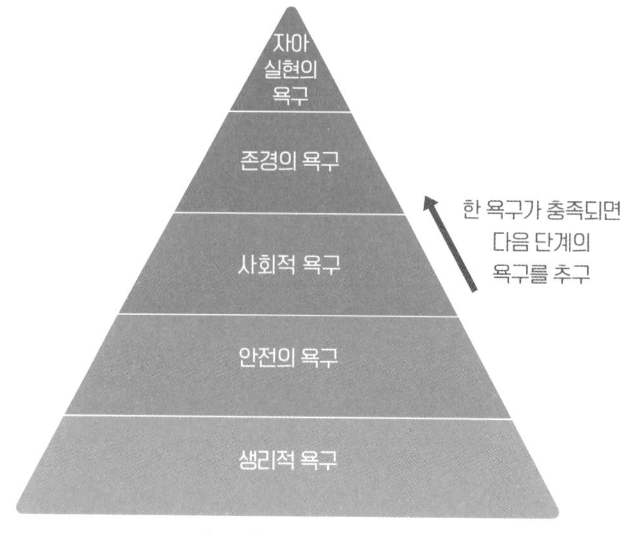

그림 8 매슬로의 욕구 단계설

하는 사회적 욕구입니다. 4단계는 자신의 일을 성공시키고 다른 사람에게 존경받으며, 지위, 명예를 얻는 존경의 욕구, 5단계는 자신의 능력과 기술, 잠재력을 최대한 실현하고자 하는 자아실현의 욕구입니다. 생리적 욕구와 안전의 욕구는 인간의 가장 기본적인 욕구입니다. 매슬로는 이 기본적인 욕구가 해결된다고 해서 우리의 삶이 만족스럽지는 않다고 주장했습니다. 즉 아래 단계의 욕구가 만족되면 더 높은 단계의 욕구를 원하게 됩니다. 의식주가 보장이 되면 안전을 원하고, 사회적 관계가 튼튼하면 지위와 명예, 자아실현을 추구하게 된다는 것이죠. 사람들은 점점 더 한 차원 높은 욕구를 갖게 되는데 현대 사회에서 기업은 이러한 욕구를 파악해서 마케팅에 이용합니다.

기업은 왜 계속 제품을 만들어 낼까?

18세기 후반부터 약 100년 동안 유럽에서는 산업혁명이라는 대변화가 일어났습니다. 실을 만들어 내는 방적기계가 발명되면서 기존에 수공업으로 작업하던 일이 기계 설비가 있는 큰 공장에서 이뤄지게 되었습니다. 이후 기계는 계속해서 발전했고 적은 노동력으로도 대규모로 제품을 생산하는 일이 가능해졌습니다. 이를 대량생산이라고 하며 현대에서는 자연스러운 생산 방식으로 자리잡은 지 오래입니다.

이제 기업은 재고가 쌓이지 않게 빨리 만들어 빨리 판매합니다. 온갖 제품이 전 세계에 쏟아져 나옵니다. 광고만 보면 더 이상의 제품은 없을 것 같지만 조금만 지나면 또 다른 신제품이 나옵니다.

기업의 목적은 이익 추구입니다. 이를 위해 인간의 심리를 연구해 제품을 개발하고 광고와 홍보로 지갑을 열게 합니다. 광고는 상품에 대한 정보를 제공하기도 하지만 구매 욕구를 강하게 자극하기도 합니다. 연예인을 통한 홍보는 소비자를 더욱 열광하게 만들지요. 그들이 사용한 제품을 사면 나도 스타가 된 것 같은 기분이 들게 됩니다.

물건을 쉽게 구입하도록 유도하고 환불과 취소는 어렵게 만들어 놓기도 합니다. 대표적인 예가 통신 요금제입니다. 통신 요금제의 구성은 매우 복잡해서 판매점 직원의 설명을 들어도 잘 이해하기 어렵습니다. 설명만 들어서는 할인 혜택이 아주 많은 것 같지요. 일단 부가 서비스를 한 달만 무료로 이용해 보라고 권유도 받습니다. 몇 개월이 지나면 부가 서비스를 든 사실을 잊어버리고 결국 유료로 사용하게 됩니다.

쇼윈도의 멋진 신상을 보면 자연스럽게 눈이 돌아가고 요즘 핫한 식당에 줄이 길게 서 있으면 어떤 맛인지 궁금합니다. 새로 나온 영화는 꼭 봐야 할 것 같습니다. 기업은 광고를 통해 더 예쁜 옷, 최신 스마트폰, 더 멋진 차를 사야 한다며 우리에게 끊임없이 소비를 권합니다. 그렇다면 우리는 어떻게 똑똑한 소비를 할 수 있을까요?

사람들에게는 각자 심리적 계정이 있다고 합니다. 마음속에 이건 써도 되고 저건 쓰면 안 되고 등을 스스로 정한 계정이 있는 것입니다. 돈의 출처, 크기, 사용처에 따라서 마음속에 각각의 계정을 만들어 놓고 그 해석을 달리합니다.

그동안 돈에 대해 무관심하고 별생각 없이 소비를 했다면, 이제부터라도 내가 주로 사용하는 항목의 지출 한도를 정하는 습관을 가지길 바랍니다. 그래야 내 용돈을 잘 사용할 수 있습니다. 만약 자신이 정한 지출 한도를 초과했다면 다음에는 줄이는 노력을 해야 합니다.

세상의 많은 부자가 부자 되는 법의 시작은 가계부 작성이라고 말합니다. 자신의 돈이 어떻게 흐르는지 살펴보는 것이 부자 되기의 첫

걸음이라는 뜻입니다. 따라서 내 돈의 흐름을 알기 위해 용돈기입장을 작성하고 이때 용돈기입장에 목표를 써 놓는 것이 중요합니다. 스마트폰의 가계부 앱을 이용해도 좋습니다. 주로 어디에 지출하는지 흐름을 보고 불필요한 지출을 하고 있다면 '지출의 10% 줄이기'처럼 구체적인 목표를 세워 실천해 봅시다.

나를 흔들리게 하는 디드로 효과

친구에게 멋진 빨간색 가운을 선물받은 한 남자가 있습니다. 선물이 마음에 쏙 든 그는 가운을 입고 자신의 서재에 앉아 있었습니다. 그런데 갑자기 낡은 책상이 눈에 거슬렸습니다. 멋진 가운과 어울리는 책상이 필요하다는 생각이 들었고, 결국 책상을 새로 구입했습니다. 하지만 기쁨도 잠시, 이번에는 벽에 걸린 그림이 신경 쓰이기 시작했습니다. 그림뿐만 아니라 서재 안의 모든 물건이 부족해 보였습니다. 결국 가운 하나 때문에 서재 전체를 바꿨다는 이 일화는 프랑스 철학자 드니 디드로의 〈나의 오래된 가운을 버림으로 인한 후회Regrets on Parting with My Old Dressing Gown〉라는 글에 나오는 이야기입니다. 여기에서 유래된 경제용어가 바로 디드로 효과입니다.

모처럼 친구들과 놀러 나가려고 옷장을 열었는데 입을 옷이 없는 경험은 누구나 있을 것입니다. 작년에는 무엇을 입고 다녔는지 모르겠고, 유행이 지난 옷들만 잔뜩 있지요. 결국 모처럼 새 옷을 사야겠다고 마음을 먹습니다. 그런데 옷을 샀는데 이번에는 들고 다닐 만한 가방이 없습니다. 새 옷과 가방에 어울리는 신발도 필요합니다. 이런 연쇄 작용은 우리 주변에서 은근히 자주 일어납니다.

전 세계적인 IT 회사 애플의 로고는 한 입 깨문 사과 모양입니다. 이 로고는 디드로 효과를 잘 활용한 예입니다. 아이폰, 아이패드, 에어팟, 애플펜까지 디자인과 로고를 통일해 구매 욕구를 연속해서 자극합니다. 아이폰을 산 사람은 에어팟도 사고, 아이패드를 사면 애플펜까지 따라서 사는 식입니다. 우리나라의 카카오도 카카오프렌즈 캐릭터의 인기가 상승하자 스마트폰 케이스, 학용품, 생활용품 등에 라이언이나 어피치 캐릭터를 다양하게 넣어 큰 매출을 올리고 있습니다.

지금까지 알아본 것처럼 내 돈을 쓸데없이 낭비하게 하고 나를 흔들리게 하는 방해물이 아주 많습니다. 이에 휩쓸리지 않고 똑똑한 소비를 하려면 어떻게 해야 할까요? 온라인 비교 쇼핑으로 제일 싼 상품을 찾아내고, 할인율, 포인트, 마일리지, 후기 등을 꼼꼼히 살피고, A/S는 잘 되는지 일일이 검색하면 되는 걸까요?

물론 이러한 행동도 중요하지만, 나 자신에게 먼저 묻는 질문이 가장 중요합니다. 이 물건이 내가 진짜 원하는 것인지, 나에게 필요한 것인지를 두 번, 세 번 물어보고 확인하세요. "진짜 원하는 것이 뭐야? 지금 필요한 것이 맞아? 후회하지 않을 거야?"라면서요.

효용과 한계효용 체감의 법칙

우리는 맛있는 것을 먹고 멋진 옷을 입고 좋은 곳에 가고 싶은 욕구를 소비를 통해서 채웁니다. 이처럼 소비를 통해 얻는 만족감, 행복을 효용이라고 합니다.

이러한 만족감과 행복은 매우 주관적이고 개인이 처한 상황에 따라 달라질 수 있습니다. 어떤 사람은 피자 한 조각을 먹어도 행복을 느끼지만 어떤 사람은 피자 한 판이 있어도 행복하지 않을 수 있습니다. 피자를 좋아하더라도 배가 부르거나 아프다면 전과 같은 만족감을 느끼지 않을 것입니다.

하지만 경제학에서는 일반적으로는 원하는 물건을 더 많이 얻으면 효용은 커진다고 봅니다. 이때 하나를 더 추가했을 때 얻는 만족감을 한계효용이라고 합니다. 그렇다고 이 한계효용이 항상 커지는 것은 아닙니다. SNS 사진 속 친구는 매일 신나게 놀러 다니고 돈도 잘 쓰는 것 같습니다. 최신 유행하는 제품도 별로 고민하지 않고 사는 것 같습니다. 하지만 맛있는 것을 먹고 새로운 물건을 사고 놀러 다닌다면 매일매일이 행복할까요? 어느 정도까지는 만족감을 느끼겠지만 욕구가 일

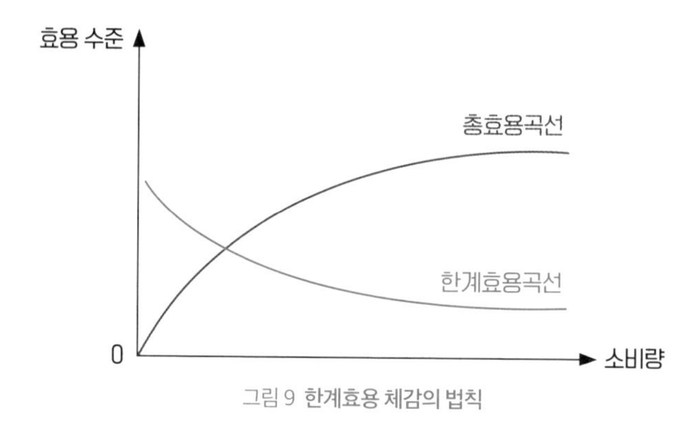

그림 9 한계효용 체감의 법칙

정 부분 채워지면 그 후로는 한계효용이 차례로 떨어지게 됩니다. 이것이 바로 한계효용 체감의 법칙입니다.

효용은 처음 소비를 할 때는 높지만 계속해서 소비하다 보면 점점 작아집니다. 배가 고플 때 먹는 밥은 꿀맛이지만 계속 먹으면 질립니다. 이후에는 배탈이 날 수도 있습니다. 마트에서 시식하는 고기 한 점은 꿀맛이지만 매일 고기만 먹으면 오히려 싫어집니다. 방학 내내 자는 것보다 잠깐 눈 붙인 낮잠이 더 달달합니다. 이렇게 소비량이 늘면 늘수록 한계효용은 줄어들고 결국에는 마이너스가 되어 총효용이 줄어듭니다. 따라서 한계효용이 마이너스가 되지 않도록 적절한 소비량을 유지하는 것이 현명한 소비입니다. 더 먹고 더 자고 더 놀고 싶어도 절제하고 인내하는 것이 우리를 지속 가능한 경제생활로 안내합니다.

경제 쏙 정리!

효용은 항상 높아만 질까?

효용: 물건을 소비하고 얻는 만족

한계효용: 물건 하나를 추가로 소비할 때마다 얻는 만족

한계효용 체감의 법칙: 물건을 추가로 소비할 때마다 얻는 만족도가 점점 내려가는 법칙

택배야! 빨리 와라

"엄마, 인터넷으로 사고 싶은 옷을 찾았는데, 며칠 전만 해도 세일을 안 하더니 오늘 갑자기 싸게 팔기 시작했어요. 장바구니에 넣어 놓았으니 결제해 주세요."

스마트폰 결제를 직접 하지 못하는 유빈이는 엄마가 티셔츠를 대신 결제해 주길 기다렸습니다.

"옷은 입어 보고 사야지. 눈으로 보는 거랑 직접 가서 사는 거는 다르잖아. 그리고 세일한다고 덜컥 사면 어떡해."

"요즘은 다 인터넷으로 사요. 최저가 비교하고 후기도 다 확인하고 사는 거예요. 가격도 적당하고 디자인도 제 마음에 들어요.

지금 주문 안 하면 이 가격에 살 수 없단 말이에요."

"알았어. 꼼꼼하게 알아봤다니 해 주겠는데, 네 용돈으로 사는 거 맞지?"

유빈이는 책상 서랍에서 옷을 사려고 모아 둔 용돈을 꺼내 왔습니다. 엄마는 스마트폰으로 쇼핑몰에 들어가더니 바로 결제를 마쳤습니다. 며칠을 고민하고 선택한 옷인데 결제하는 것은 손가락 클릭 몇 번으로 끝나네요.

유빈이는 원하는 옷을 싸게 사서 기분이 좋았습니다. 결제도 끝났으니 이제 택배만 기다리면 됩니다. 며칠 동안은 학교 수업이 끝나지마자 부리나게 집에 달려와 택배가 왔는지 확인했습니다.

드디어 주문한 옷이 도착했습니다. 유빈이는 설레는 표정을 감추지 못하고 택배 상자를 뜯었습니다. 얼른 옷을 꺼내 입고 거울 앞에 섰습니다. 그런데 옷이 생각했던 것보다 커서 허수아비처럼 축 늘어집니다. 소재도 별로고 색도 화면보다 칙칙합니다.

'망했다. 내가 생각했던 옷이 아니야.'

프리 사이즈만 있는 제품이라 다른 사이즈로 교환도 안 됩니다. 환불 신청을 해야 합니다. 분명 후기까지 살폈는데 속았다는 생각이 듭니다. 반송 택배비도 물어야 하니 더 억울합니다.

"완전 짜증 나요. 얼마나 꼼꼼히 살펴본 건데."

"엄마도 인터넷으로 주문했다가 실망한 적이 많지. 그런데 유빈아! 돈을 쓰는 것도, 물건을 사는 것도 경험이 필요해. 어쩌다 한 번은 운 좋게 잘 살 수 있지만 여러 번 실패도 해 봐야 보는 눈과 노하우가 생겨. 뭐든 배울 때는 비용과 시간이 들어가는 거고. 아쉽지만 반송해야겠네. 반송료도 네가 지불해야 하는 거 알지?"

100
500
3장

금리는 금이빨을 말하는 건가요?

만 원으로 알아보는 돈의 가치와 복리

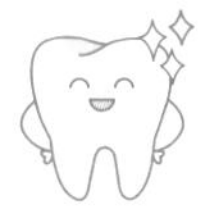

"오늘 1, 2교시에는 금융 특강 수업이 있어요. 외부에서 강사 선생님이 오실 거니까 부자 되는 방법 잘 배워 와요. 알았죠?"

유빈이네 담임 선생님이 조회 시간에 금융 수업이 있다고 공지를 했습니다.

'금융? 그게 뭐지?'

1교시 수업 종이 울리자 강사님이 들어왔습니다.

"안녕하세요. 오늘 금융 수업을 한다고 들었죠? 금융이 뭔지 아는 친구 있나요?"

유빈이 옆자리 짝꿍이 손을 번쩍 들어 대답합니다.

"금융은 돈에 관한 거예요."

"잘 대답했어요. 맞아요. 돈을 주고받는 모든 일을 금융이라 해요. 그럼 여러분은 돈에 대해 배운 적이 있나요?"

여기저기에서 웅성거리기 시작했습니다.

"돈을 공부한 적은 없는데…."

"부모님이 돈은 무조건 아껴 쓰라고 하셨어요."

"초등학교 때 배운 거 같은데 잘 기억나지 않아요."

"부자가 되는 법을 알려 주는 건가요?"

반 친구들은 돈에 대해 할 이야기가 많아 보였습니다. 어떻게 부자가 될 수 있는지도 궁금해 했고요.

"여러분도 부자가 꿈인가요? 자, 그럼 저축하는 학생은 손 들어 보세요. 금리라는 말은 들어 본 적이 있나요?"

"금니요? 금이빨은 들어 봤어요!"

교실은 한바탕 웃음바다가 되었습니다.

"은행에 저축을 하고 일정 기간이 지나면 돈을 주는데, 이 돈을 뭐라고 할까요?"

학생들이 한목소리로 대답합니다.

"이자요."

"맞아요. 저축을 하면 주는 돈을 이자라고 해요. 금리는 이자와 같은 말이라고 생각하면 돼요. 그럼 은행에서 돈을 빌리면 내야 하는 돈을 뭐라고 할까요?"

다시 한목소리로 답합니다. "대출 이자요."

"오, 대출 이자도 잘 알고 있네요."

드라마에서 많이 들어 봤다며 사채, 사채업자라는 단어도 서슴지 않고 나왔습니다.

"그렇다면 은행은 왜 이자라는 돈을 줄까요?"

잠시 침묵이 흐르더니 한 친구가 손을 번쩍 들고 대답했습니다.

"그거야 당연하죠. 우리가 은행에 저축하면 은행은 그 돈을 다른 사람에게 빌려주고 더 많은 이자를 받거든요."

똑 부러지는 대답에 유빈이와 친구들은 '어떻게 그런 걸 알지?' 하는 표정을 지었습니다.

수업을 마치고 집에 돌아오는 길에 유빈이의 눈에 들어오는 것이 있었습니다. 바로 은행에 걸린 현수막이었습니다. 현수막에는 '정기예금 특판 연 2%'라고 써 있었습니다. 매일 지나가는 길인데 이제야 은행 광고가 눈에 들어오니 참 신기했습니다. 이래서 아는 만큼 보인다는 말이 있나 봅니다.

'정기예금 연 2%가 무슨 뜻일까? 마트나 백화점에서 세일을 하면 적어도 10% 이상은 하는데 2%면 너무 적은 거 아닌가? 그래도 현수막에 크게 써 붙인 것을 보니 다른 은행보다 더 많이 준다는 거겠지?'

유빈이는 수업시간에 들은 단어들이 머릿속에서 맴돌기 시작하면서 은행이 어떻게 이자를 계산해서 주는지도 궁금해졌습니다.

단리와 복리의 차이

금융은 돈을 빌리고 빌려주는 모든 활동을 말합니다. 또한 금리 즉 이자는 돈의 값, 돈의 사용료를 말합니다. 은행에서는 여러 금융 상품을 만들어 사람들이 돈을 맡기게 하고 다시 이 돈을 다른 사람에게 빌려줘 대출 이자를 벌어들입니다.

은행에서 제공하는 여러 금융 상품 중 정기예금은 통장에 돈을 넣어 놓고 약속한 기간 동안 찾지 않으면 이자를 주는 상품을 말합니다. 따라서 입출금이 자유로운 예금보다 이자가 조금 더 많지요.

그렇다면 이자는 어떻게 계산하는 걸까요? 여기 만 원을 넣어 두면 1년 후에 2%의 이자를 주는 정기예금이 있다고 합시다. 이 통장의 돈이 어떻게 불어나는지 순서대로 살펴볼게요.

우선, 연 이자가 2%라면 계산식은 만 원×0.02=200원입니다. 1년 후에는 원래 넣어 뒀던 돈 만 원과 함께 이자 200원을 받을 수 있습니다.

만약 만 원을 3년 동안 찾지 않겠다 약속한 정기예금이라면 1년 이

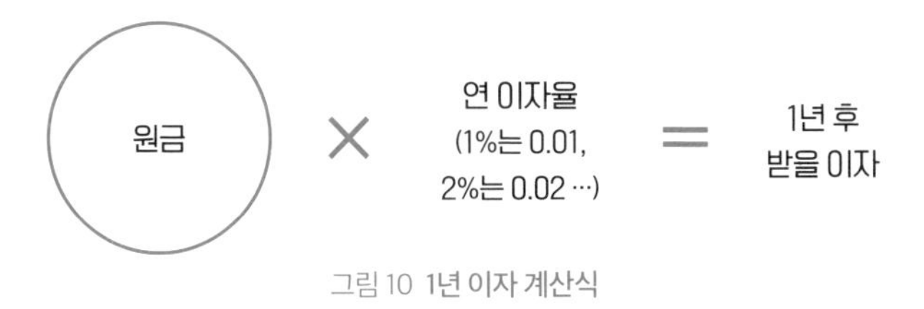

그림 10 1년 이자 계산식

자 200원을 3년 동안 받을 테니 총 이자는 600원이 됩니다. 그러면 원래 넣어 뒀던 돈 만 원과 이자 600원, 총 1만 600원을 받습니다.

어때요? 생각보다 계산이 간단하지요? 이렇게 단순한 이자 계산법을 단리 계산법이라 합니다. 이자를 계산하는 방법은 단리와 복리, 두 가지가 있습니다. 저축한 원래 돈을 원금이라고 합니다. 단리 계산법은 이 원금에 대해서만 이자를 계산합니다. 계산식도 단순합니다.

단리 계산법: 원금×이자율×기간

1년짜리 예금: 만 원×0.02×1년 = 200원

2년짜리 예금: 만 원×0.02×2년 = 400원

3년짜리 예금: 만 원×0.02×3년 = 600원

반면 복리는 좀더 복잡합니다. 해가 지나면 지날수록 이자에 이자가 붙습니다. 새로 붙은 이자에도 이자를 지급하므로 돈이 빠른 속도로 불어납니다. 복리 계산법은 우선 1년 차 때는 단리 계산법과 방식이 같습니다. 다만 2년 차, 3년 차 때는 원금에 전년도의 이자도 포함해 계산합니다.

복리 계산법: 전년도 이자+((원금+전년도 이자)×이자율)

1년 차: 만 원×0.02×1년= 200원(단리 계산법과 같음)

2년 차: 1년 차 이자 200원 + ((만 원+200원)×0.02) = 404원

3년 차: 2년 차 이자 404원 + ((만 원+404원)×0.02) = 612.08원

단리와 복리는 처음에는 별 차이가 안 나는 것 같습니다. 하지만 시간이 지날수록 복리는 수가 무섭게 불어납니다. 이렇게 기하급수적으로 커지는 수가 얼마나 무서운지 알려 주는 우화도 있습니다.

옛날 옛적에 인도의 한 장군이 전쟁에서 이기고 돌아왔습니다. 그는 차투랑가체스의 기원이 되는 인도의 보드 게임를 만든 사람이기도 했습니다. 왕은 그에게 소원을 하나 들어주기로 했습니다.

"전쟁에서 이기고 돌아왔으니 네 소원을 하나 들어주겠다. 무엇이든 말해 보거라."

잠시 고민을 하던 장군이 소원을 말했습니다.

"제 소원은 차투랑가판의 첫 칸에 쌀 1톨을 놓고, 그다음 칸에는 2톨, 그다음 칸에는 4톨, 칸마다 쌀알을 앞 칸의 두 배씩 놓은 뒤 맨 마지막 칸까지 놓인 쌀을 모두 갖는 것입니다."

왕은 소원이 너무 어리석고 보잘것없다는 생각이 들었지만 들어주기로 했으니 하인에게 차투랑가판을 가져오라고 했습니다.

첫 번째 칸에는 1톨, 그다음 칸에는 2톨 그리고 4톨, 8톨, 16톨, 32톨, 64톨 이렇게 앞 칸의 두 배씩 늘리니 그다음에는 256톨, 512톨, 1024톨, 2048톨을 놓아야 했습니다.

이 광경을 지켜보던 왕과 신하들은 당황하기 시작했습니다. 1톨로 시작한 쌀이 점점 늘어나는 것을 보며 왕은 큰 실수를 했다는 사실을 깨달았습니다. 결국 작업을 중지시켰고 온 나라의 수학자를 불러 모아 올라가야 하는 쌀의 양을 계산하게 했습니다. 64칸을 채우는 데 쌀 18,446,744,073,709,551,615톨이 필요하다는 결론이 나왔습니다. 어떻게 읽어야 할지 모를 정도로 큰 숫자입니다. 무려 1,844경 6,744조 737억 955만 1,615개입니다. 아마 지구상에 모든 쌀을 더해도 이보다 많지 않을 것입니다. 결국 왕은 쌀 대신 넓은 땅을 주기로 했고 장군은 땅에서 나오는 수많은 곡식으로 부유하게 살았다는 이야기입니다.

그렇다면 용돈으로 백만장자가 되는 것도 가능합니다. 오늘 집에 가 부모님에게 이렇게 말해 보는 것은 어떨까요?

"어머니 아버지, 저 앞으로 딱 한 달만 용돈을 받고 다시는 용돈을 받지 않겠습니다. 단, 1일은 1원, 2일은 2원, 3일은 4원, 4일은 8원… 마지막 30일은 29일의 두 배가 되는 용돈을 주세요."

이렇게 하면 한 달에 받을 수 있는 용돈이 자그만치 1,073,741,823원 즉 10억 7,374만 1,823원입니다. 용돈으로 백만장자가 된다니, 즐거운 상상이네요.

인도의 우화는 거듭제곱에 대한 이야기지만 복리 역시 늘어나는 속도가 이렇게 빠릅니다. 천재 물리학자인 알베르트 아인슈타인은 인류의 가장 위대한 발명품이 복리라고 했습니다. "세계 8대 불가사의는 복리다. 이를 이해하는 사람은 돈을 벌고 이해하지 못한 사람은 손해를 볼 것이다"라고 말했지요.

복리의 무서움을 잘 알려 주는 인디언의 일화가 있습니다. 과거 미국 뉴욕의 맨해튼은 원래 인디언들의 땅이었습니다. 1626년 네덜란드에서 넘어온 이민자 피터 미뉴에트가 단돈 24달러어치 장신구를 주고 인디언 부족에게서 맨해튼 땅을 사들였습니다. 시간이 지나 황무지였던 맨해튼은 세계 최고의 금융 도시가 되었습니다. 땅값만 해도 천문학적인 숫자입니다.

만약 인디언들이 맨해튼을 팔고 받은 24달러를 복리 상품에 투자했다면 지금쯤 얼마가 되었을까요? 전설적인 투자자 피터 린치는 당시 인디언들이 연 8% 수익이 나는 금융 상품에 투자했다면 360년이 지나고 30조 달러가 되었을 것이라 설명했습니다. 8%의 복리로 360년 동안 투자하는 일이 현실적이지 않지만, 복리가 얼마나 강력한지 알 수 있습니다.

무서운 이자 이야기

유빈이가 10만 원을 저축하면 도대체 언제쯤 통장의 돈이 두 배가 되는 걸까요? 복리 상품에 넣은 돈이 두 배가 되는 시간을 빠르게 셈해 볼 수 있는 공식이 있습니다. 이것을 72의 법칙이라고 합니다. 숫자 72를 이자율로 나누면 원금이 두 배가 되는 기간이 대략 얼마인지 알 수 있습니다.

경제 쏙 정리!

내 돈은 언제 두 배가 될까?

72법칙: 복리일 때 원금이 두 배가 되는 기간을 계산하는 공식
계산식: 72÷이자율

유빈이가 연 2% 복리의 정기예금에 저축했다면 72÷2=36, 즉 36년이 지나야 10만 원이 20만 원이 됩니다. 너무 긴 시간이라고요? 하지만 내가 돈을 빌리는 입장이 된다면 이야기는 달라집니다.

사채 중 흔히 말하는 악덕 사채업자가 복리 계산법을 사용합니다. 복리로 연 20%의 이자를 낸다면 72÷20=3.6, 즉 3.6년 만에 빌린 돈이 두 배로 불어나게 됩니다. 사채가 무서운 것이 바로 이 복리 때문입니다. 얼마 빌리지도 않았는데 이자가 빌린 돈보다 많아지는 일은 사채 시장에서 빈번히 일어납니다.

많은 은행 저축 상품이 단리 방식으로 예금 이자를 지급합니다. 하지만 불법 사채는 일반인에게 돈을 빌려주고 복리 방식으로 이자를 받습니다. 일반인 입장에서는 은행 이자는 복리고, 대출 이자는 단리이면 좋을 텐데 현실은 그 반대라는 점을 기억해야 합니다. 단리와 복리

개념을 통해 저축의 힘과 사채의 구조를 이해하는 것은 현명한 금융생활의 기본입니다.

이자의 역사는 고대 바빌로니아 시대까지 거슬러 올라갑니다. 함무라비 왕이 제정한 가장 오래된 성문법인 함무라비 법전에는 "상인이 곡물이나 은을 빌려줄 때 이자를 받았다"라고 기록되어 있습니다. 고대 바빌로니아는 세계 7대 불가사의 중 하나인 공중정원을 지었을 정도로 엄청난 노동력이 투입된 건축물을 자랑하는데요. 이 시대의 성벽은 노예들이 동원되어 건설되었고 그중 3분의 2는 빌린 돈을 갚지 못해서 노예가 된 이들이었다고 합니다. 돈을 빌려주는 고리대금업자들이 빌린 값을 지불하지 못하는 사람들을 노예로 팔아 버린 것입니다. 사람을 사고파는 것은 지금 시대에는 있을 수 없는 일이지만, 무분별한 대출이 얼마나 무서운지는 알 수 있습니다.

오늘 받는 돈과 내일 받을 돈

조삼모사朝三暮四라는 고사성어에 얽힌 우화가 하나 있습니다. 어느 날 원숭이를 키우고 있는 주인이 원숭이들에게 이렇게 말했습니다.

"이제부터 도토리를 아침에 3개, 저녁에 4개를 주겠다."

그러자 원숭이들이 잔뜩 화를 냈습니다. 주인은 다시 말했습니다.

"그럼 아침에 4개, 저녁에 3개를 주겠다."

그제야 원숭이들은 4개를 먹게 되었다며 좋아했다는 이야기입니다. 조삼모사는 눈앞에 보이는 차이만 생각하고 결과가 같은 것을 모른다는 뜻으로 쓰이는 말입니다. 이 우화에서 원숭이들은 어리석은 존재로 표현됩니다. 조삼모사나 조사모삼이나 모두 7개인데 눈앞의 큰 이익만 보니까요.

자! 원숭이들은 정말 어리석은 것일까요? 경제학적으로 생각해 보면 조금 다릅니다. 경제학에서 원숭이들은 주인보다 더 똑똑합니다. 즉 아침에 4개, 저녁에 3개를 받는 것이 아침에 3개, 저녁에 4개를 받는 것보다 가치가 크다고 말할 수 있습니다. 왜일까요?

우선 아침에 받은 4개 중 1개는 다른 원숭이에게 빌려주고 이자를 받을 수 있습니다. 또한 주인이 아파서 저녁에 도토리를 못 주는 상황이 생길 수도 있으니 이럴 때도 미리 많이 받아 놓는 것이 좋습니다. 즉 현재의 도토리 1개가 미래의 도토리 1개보다 더 가치가 크다고 할 수 있습니다.

여러분도 원숭이들처럼 선택의 기로에 서 있다고 가정해 봅시다. 여러분에게 지금 1억 원을 받을 것인지, 1년 후에 1억 300만 원을 받을 것인지 결정하라고 하면 어느 것을 선택할 건가요? 1년 후 돈을 못 받는 일은 없는 조건입니다.

일단 무엇부터 생각해 봐야 할까요? 많은 사람이 생각이고 뭐고 일단 지금 1억부터 받겠다고 할 테지만 원숭이보다 지혜로운 사람은 현명한 선택을 위해 경제적 사고를 할 수 있어야 합니다. 먼저 현재의 1억이 1년 후에 1억 300만 원보다 가치가 클지를 생각해 봅시다.

현재의 돈의 가치와 미래의 돈의 가치를 따져 보는 기준은 바로 현재의 이자율, 금리입니다. 지금의 1억 원을 은행에 1년 동안 저축하면 이자를 얼마나 받을 수 있을까요. 은행 이자가 연 2%라면 1년 후 이자는 200만 원입니다. 그래서 1년 후면 1억 200만 원을 받을 수 있습니다. 세금까지 내고 나면 액수는 조금 더 줄어들겠죠. 따라서 지금 1억 원을 받지 않고 1년 후에 1억 300만 원을 받는 것이 현명한 선택입니다.

반면 지금의 은행 이자가 연 5%라면 1억을 1년 동안 저축해 1억 500만 원을 받을 수 있습니다. 따라서 지금 1억을 받는 것이 더 현명한 선택입니다. 이처럼 지금의 돈이 미래에 얼마의 가치를 나타내는지, 미래의 돈은 현재에 얼마의 가치가 있는지 생각해 보는 과정은 꽤 중요합니다.

앞에서 유빈이가 용돈 10만 원을 연 2%의 이자를 주는 정기예금에 저축한다면 36년이 지나야 두 배인 20만 원이 된다고 알아보았지요? 갑자기 저축하고 싶은 마음이 싹 사라진 사람도 있을 것입니다. 어느 세월에 큰돈을 만들 수 있을까 싶고요. 이럴 때 우리에게 희망을 주는 경제용어도 있습니다. 바로 카페라테 효과입니다. 일상생활 속에서 가장 습관적으로 하는 소비 중 하나가 커피값입니다. 4,000원짜리 커피를 하루 한 잔씩 마신다면 한 달 동안 12만 원이 지출되고 1년이면 144만 원을 쓰게 됩니다. 30년이면 4,320만 원입니다. 마찬가지로 떡볶이, 버블티, 마카롱 등에도 4,000~5,000원 정도는 무심코 사용하기 쉽지요.

따라서 작은 돈도 무심코 쓰지 말고 저축하는 습관이 중요합니다. 하지만 많은 사람이 몇천 원으로 작고 소소한 행복을 느끼는 것을 '소확행'이라고 부르며 만족합니다. 소소하지만 확실한 행복이라는 뜻이지요. 적은 돈을 들여 만족을 느끼는 것 역시 경제적인 생활이지만, 더 멀리 보고 쓰는 즐거움보다 모으는 즐거움을 먼저 생각하는 것도 경제적인 생활임을 한번쯤 생각해 주면 좋겠습니다.

경제 쏙 정리!

커피값으로 돈을 번다고?

카페라테 효과: 커피값 같이 습관적으로 쓰는 돈을 꾸준히 저축하면 목돈을 만들 수 있다는 재테크 개념

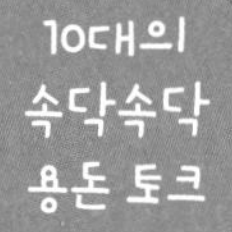

용돈을 며칠에 한 번씩 받을까?

"너희는 일주일에 얼마씩 받니?"

"나는 용돈 안 받는데…. 그냥 부모님이 알아서 주셔."

"나는 그때그때 필요한 만큼 받아. 그리고 엄마 아빠가 다 알아서 사줘서 용돈이 따로 필요하지 않아."

"나도 일주일에 얼마 받는지 생각 안 해 봤어."

"유빈아! 너는 일주일에 얼마나 받아?"

친구들의 시선이 모두 유빈이에게 향했습니다. 유빈이는 친구들과 비교될까 봐 "나도 뭐, 그냥…" 하면서 대답을 얼버무렸습니다.

유빈이는 일주일에 만 원을 받습니다. 안 그래도 평소에 친구들이 돈을 쉽게 쓰는 것을 보면서 자기만 지갑 사정이 빠듯하다고 생각했습니다. 돈 쓸 곳도 많아서 용돈을 받아도 한숨부터 나옵니다.

특히 사고 싶은 물건이 생기면 몇 주를 모아서 사야 하는 것이 불만이었습니다. 그런데 불현듯 한 달 용돈을 한꺼번에 받으면 사고 싶은 물건을 더 빨리 살 수 있겠다는 발상이 떠올랐습니다. 수업 시간에 배운 이자 개념을 가지고 부모님을 설득해 보기로 했습니다.

"엄마. 저 이번 주부터 한 달에 한 번씩 용돈을 받고 싶어요."

엄마는 갑작스런 제안에 무슨 영문인가 싶어 되물었습니다.

"갑자기 그런 생각을 왜 한 거니?"

유빈이는 진짜 이유는 차마 말할 수 없었습니다.

"그건 말이죠. 조삼모사라고 아시죠? 오늘 학교에서 이자에 대해 배웠는데 경제학에서는 조삼모사보다 조사모삼이 더 합리적이라고 하더라고요. 저도 어차피 받을 돈이면 미리 받는 것이 더 경제적이라고 생각해요."

"우리 유빈이가 그런 생각을 다 했구나. 그런데 한 달 용돈을 한 번에 다 써버리면 어떡하지? 그러면 남은 기간은 힘들게 생활해야 하는데…. 어떤 것이 더 경제적인지 한 번 더 생각해 보렴."

'아뿔싸! 그럴 수도 있구나.'

유빈이는 엄마의 말에 다시 머리가 복잡해졌습니다.

"어떤 것이 더 경제적일까?"

한참을 고민하던 끝에 결론을 내렸습니다. 용돈을 일주일에 한 번 받을지 한 달에 한 번 받을지 선택하는 것보다 어떻게 하면 더 많이 받을지 생각하는 것이 더 경제적이라고 말이죠.

100
500
4장

옛날 짜장면과 요즘 짜장면은 달라!

2만 원으로 알아보는 물가와 인플레이션

오늘은 언니의 졸업식입니다. 엄마가 졸업식 날에는 짜장면을 먹어야 한다며 이미 중국 음식으로 점심 메뉴를 정해 놨습니다. 유빈이는 좀 더 근사한 곳에 가고 싶었지만 탕수육과 유산슬도 먹기로 하고 조용히 중국집으로 향했습니다. 졸업식이 끝나고 사람들이 한꺼번에 몰려 줄을 서야 했습니다. 기다리는 시간이 지루했는지 갑자기 엄마가 옛날 이야기를 꺼냈습니다.

"엄마가 어렸을 때는 말이야, 짜장면 한 그릇이 1,000원이었는데 그것도 비싸서 자주 못 먹고 졸업식이나 아주 특별한 날에만 먹었어."

"에이, 짜장면 1,000원이 뭐가 비싸요."

"엄마 어렸을 때 1,000원과 지금의 1,000원이 같은 줄 아니?"

"액수는 그대로인데 뭐가 다르다는 거예요?"

"몇십 년 전의 1,000원이나 지금의 1,000원이나 지폐 크기와 모양은 비슷하지만 할 수 있는 것은 아주 다르지. 유빈이는 1,000원이 있으면 뭘 하니?"

"음, 1,000원으로는 할 수 있는 것이 별로 없어요. 바나나 우유도 1,000원보다 비싸고 과자 가격도 대부분 그 정도는 넘으니까요. 그냥 가지고 있다가 돈이 더 생기면 뭐 할지 생각할래요."

"엄마가 어렸을 때는 100원, 200원이면 과자도 사 먹을 수 있고 아이스크림도 사 먹을 수 있었단다."

유빈이는 그제야 같은 돈도 시대에 따라 가치가 달라진다는 말을 이해할 수 있었습니다.

"그런데 엄마, 왜 돈의 가치가 떨어지는 거예요? 왜 같은 돈으로 살 수 있는 게 줄어들죠?"

유빈이는 머릿속이 복잡했습니다. 몇 년이 지나면 지금의 돈도 가치가 떨어질 텐데 용돈을 저축해 봤자 소용없다는 생각이 든 것입니다.

"지난 명절 때 받은 용돈 중에서 2만 원은 저축하려고 했는데 생각이 바뀌었어요. 저 이제부터 저축 안 할래요. 나중에 짜장면값이 2만 원이 될 수도 있는데 뭐 하러 저축해요."

유빈이가 저축을 하지 않겠다 선전포고를 하니 엄마는 매우 당황스러운 표정을 지었습니다.

물가와 돈의 상관관계

사람들은 '물가가 올랐다', '물가가 내렸다'라는 말을 자주 합니다. 이때 물가라는 단어는 무슨 뜻일까요?

물건에는 각각의 가격이 있습니다. 편의점 삼각김밥은 700원이고 과자는 1,500원인 것처럼요. 물가는 이 모든 물건의 가격을 더해서 평균을 낸 가격을 말합니다. 이때 물건의 가격은 사회 전체의 수요와 공급에 의해 결정됩니다.

시중에 돈이 너무 많아서 물가가 오르기도 합니다. 사람들이 돈을 많이 가지고 있으면 넉넉한 지갑을 가지고 서로 원하는 물건을 사려고 할 것입니다. 그러면 물가는 오르게 됩니다. 즉 돈이 너무 흔해져서 돈의 가치는 떨어지고 물건값은 오르는 것입니다.

그렇습니다. 물건에 가격이 있는 것처럼 돈에도 만 원, 2만 원, 5만 원 등 돈의 가격이 있습니다. 1,000원으로 살 수 있는 물건이 있고 5만 원으로 살 수 있는 물건이 있다고 합시다. 1,000원짜리 물건은 1,000원의 가치를 가지고 있으며 5만 원짜리 물건은 5만 원의 가치를 가지고 있습니다. 물건의 값이 오르락내리락하면 덩달아 돈의 값도 오르락내리락합니다. 물가와 돈의 가치는 서로 반대 방향으로 움직입니다. 큰 흐름에서는 물가는 해마다 조금씩 오르고 돈의 가치는 시간이 지날수록 떨어집니다.

경제 쏙 정리!

물가란 무엇일까?

물가: 여러 가지 상품이나 서비스의 가치를 종합적이고 평균적으로 본 것

그렇다면 물가가 오르는 것이 경제에 도움이 될까요? 아니면 물가가 내리는 것이 경제에 도움이 될까요?

일반적으로 물가는 매년 조금씩 오르는 것이 경제에 도움이 된다고 합니다. 오늘보다 다음 주에 물건값이 오른다고 생각하면 소비자들이 소비를 미루지 않기 때문입니다. 반면 물건값이 시간이 지날수록 내릴 것이라고 생각하면 소비자들은 지갑을 열지 않고 계속 물건값이 떨어지기만을 기다립니다. 기업도 물가가 조금씩 올라야 만든 물건을 판매해서 벌어들이는 이익으로 또 생산을 할 수 있습니다. 따라서 물가는 고정되어 있거나 떨어지는 것보다 계속 조금씩 오르는 것이 일반적이며 경제에 도움이 됩니다.

물가가 변하면 각 경제주체는 자신에게 유리한 선택을 하려고 합니다. 돈을 많이 가지고 있는 사람과 물건을 많이 가지고 있는 사람 중에 물가가 오르면 누가 더 손해일까요? 돈을 많이 가지고 있는 사람은 물가가 상승하면 돈의 가치가 떨어지니 손해입니다. 내가 가지고 있는 돈의 양은 같은데 살 수 있는 물건의 양은 줄어들기 때문입니다. 월급을 받고 일하는 사람들도 열심히 일해도 돈의 가치가 계속 떨어지니

일할 의욕이 생기지 않을 것입니다. 저축도 줄어듭니다. 반면 물건을 많이 가지고 있는 사람은 기분이 좋을 것입니다. 물건의 값이 상승하니 자산의 가치가 상승하고 돈을 많이 가지고 있는 사람보다 유리하기 때문입니다.

물가가 올랐는지 내렸는지 아는 방법

'가격'이 물건 하나하나의 개별적인 값이라면 '물가'는 물건들의 가격을 종합해 평균을 낸 것입니다. 하지만 세상의 모든 상품의 가격을 더해서 평균을 내기는 어렵습니다. 그래서 만든 것이 바로 물가지수입니다.

물가지수는 물가가 어떻게 변하고 있는지 알기 위해 통계청에서 조사하는 지수입니다. 대표적인 것이 소비자 물가지수입니다. 통계청은 매달 460개의 상품과 서비스 항목 가격을 조사합니다. 이때 조사 항목은 크게 농축수산물, 공업제품, 전기·수도·가스, 서비스로 나눌 수 있습니다. 이 조사 항목들은 5년을 주기로 바뀝니다. 시대가 변해 사용하지 않는 품목은 빼고 새롭게 등장해 많이 사용되는 품목을 넣기도 합니다. 예를 들어 2010년에는 유선전화기, 공중전화 통화료, 금반지 같은 품목이 조사 대상에서 탈락되었고, 스마트폰 이용료, 반려동물 미용료, 전문점에서 파는 커피값 등이 새로 추가되었습니다.

'물가가 올랐다' 또는 '내렸다'라는 뉴스는 바로 이 지수에 근거한 것입니다. 소비자 물가지수로 물가의 움직임을 쉽게 알 수 있습니다. 기준년도의 1년 평균물가를 100으로 해 지수가 상대적으로 얼마가 올랐고 내렸는지를 표시합니다. 예를 들어 물가지수가 110이라는 것은 기준년도에 비해 물가가 10%나 올랐다는 것을 의미합니다.

소비자 물가지수를 통해 일반 소비자가 일상에 필요한 상품을 얼마나 구매할 수 있는지 구매력을 알 수 있습니다. 소비자 물가지수가 상승했다는 것은 자신의 소득으로 구매할 수 있는 상품이 줄어들었다는 것을 의미합니다. 따라서 소비자 물가지수는 경기경제 상태가 좋은지 안 좋은지 판단할 수 있는 기준이며 개인뿐만 아니라 한국은행의 통화정책에도 영향을 줍니다.

하지만 뉴스에 나오는 소비자 물가지수를 보면 실생활에서 체감하는 것과 너무 다르다고 생각할 것입니다. 수치로는 조금 올랐는데 체감하는 물가 상승은 훨씬 클 때가 많지요. 대중교통을 매일 이용하는 사람은 버스비 인상이 직접적인 물가 인상으로 느껴질 것이고, 요리를 자주 하는 사람은 마트의 식료품 가격 인상이 더 중요할 것이고, 대학생은 등록금 인상이 제일 크게 느껴질 것이기 때문입니다. 소비자마다 주로 구입하는 품목이나 구입 빈도가 다르기 때문에 소비자 물가지수와 체감하는 물가는 차이가 있을 수밖에 없습니다. 따라서 통계청에서는 이를 보완하기 위해 일반 소비자가 자주 구입하는 기본 생필품 141개를 따로 선정해 조사합니다. 바로 소비자의 체감물가를 파악하는 장바구니 물가지수입니다. 생활 물가지수라고도 합니다. '장바구니'라는 말에서 알 수 있듯이 우리가 주로 사용하는 기본 생필품을 선정해 좀더 직접적으로 물가가 올랐는지 내렸는지를 보여줍니다. 조사 항목은 쌀, 라면, 두부, 고등어, 오징어 같은 식료품부터 쓰레기 봉투, 세탁세제, 치약, 샴푸 같은 생활용품, 김치찌개 백반, 비빔밥, 돼지갈비 같은 외식 메뉴까지 정말 생활에 밀접한 품목들입니다. 목욕료, 미용료, 자동차 보험료 등도 포함됩니다.

물가가 너무 오르면 소비자들이 힘들고, 너무 낮아도 경기가 침체될 수 있습니다. 따라서 물가가 너무 오르거나 너무 내리지 않도록 정부의 정책이 필요합니다. 물가지수의 안정적인 상승은 경제가 잘 돌아가고 있다는 것을 보여줍니다.

경제 쏙 정리!

물가지수에는 어떤 것들이 있을까?

소비자 물가지수: 물가가 변한 정도를 매달 조사해서 발표하는 지수
장바구니 물가지수: 물가 변화를 좀더 체감할 수 있도록 소비자가 자주 구입하는 생필품을 조사해 발표하는 지수

우리나라 물가는 몇 위?

한국의 물가는 세계 여러 나라와 비교하면 어느 정도 수준일까요? 영국의 경제분석기관 이코노미스트인텔리전스유닛EIU이 조사한 2018년 세계 생활비 보고서에 따르면 서울의 물가는 전 세계 133개 도시 중 7번째로 높습니다. EIU는 해마다 주요 국가 도시의 주거, 교육, 식품, 교통, 의류 등 160여 개 상품과 서비스의 가격을 비교해 세계 생활비 지수를 발표하고 있습니다. 미국 뉴욕의 물가를 기준점인 100으로 잡고 계산을 하는데 일본의 도쿄, 오사카와 함께 서울이 아시아에서 생필품 가격이 높은 편으로 조사되었습니다.

그렇다면 물가가 싼 나라에서 살면 좀더 풍요롭게 살 수 있지 않을까요? 꼭 그렇지만도 않습니다. 아르헨티나, 브라질, 터키, 베네수엘라 등은 생활비가 낮은 편으로 조사되었습니다. 다만 이런 나라들은 물가가 낮고 생활비가 저렴하지만 치안이나 정치, 경제적 불안감이 큽니다. 반면 선진국은 물가는 높지만 치안이나 정치, 경제가 안정적이어서 생활이 편리합니다.

그렇다면 한 나라 안에서 서로 다른 지역의 물가는 어떨까요? 서울 마포구에서 단팥빵 가격이 2,000원이라면 서울 송파구에서도 2,000원일까요? 답은 '아니오'입니다. 같은 빵이더라도 가격을 매길 때 지역이나 동네에 따라 여러 요소를 감안해야 하기 때문입니다. 예를 들어 건물 임대료가 높은 동네에서는 빵값이 더 비싸겠지요.

이는 나라 사이에서도 마찬가지입니다. 같은 프랜차이즈의 햄버거와 커피도 나라마다 가격이 다릅니다. 그래서 나온 기준이 빅맥지수와 라테지수입니다. 맥도날드라는 패스트푸드 회사의 빅맥 햄버거는 전 세계 대부분의 나라에서 똑같이 판매되고 있습니다. 그래서 이 빅맥 햄버거가 얼마냐에 따라 각 나라의 물가 수준과 통화가치를 비교할 수 있습니다. 라테지수도 비슷하게 전 세계적인 프랜차이즈 카페 스타벅스의 카페라테를 기준으로 각 나라의 물가 수준과 통화가치를 비교합니다.

빅맥지수의 기준은 달러입니다. 예를 들어 미국에서 빅맥이 5달러이고 우리나라에서 5,000원인데 이때 환율이 1달러에 1,200원이라고 가정해 봅시다. 5,000원을 달러로 환전하면 약 4.2달러입니다. 미국에서는 5달러에 사 먹을 수 있는 빅맥을 한국에서는 4.2달러에 사 먹는 것입니다. 미국이 한국보다 물가 수준이 높은 것을 알 수 있습니다. 또한 빅맥지수가 낮으면 더 적은 달러를 내고 같은 햄버거를 사 먹을 수 있다는 것이기 때문에, 해당 국가 돈의 가치가 달러보다 저평가되어 있다고 해석할 수 있습니다. 해외여행을 갈 때 빅맥지수를 참조하면 그 나라의 물가 정도를 알 수 있을 것입니다환율에 대한 더 자세한 내용은 6장에서 살펴볼 수 있습니다.

경제 쏙 정리!

다른 나라와 우리나라의 물가를 어떻게 비교할까?

빅맥지수: 빅맥 햄버거 가격을 통해 각 나라의 물가 수준과 통화가치를 비교할 수 있는 지수

라테지수(스타벅스지수): 카페라테 가격을 통해 각 나라의 물가 수준과 통화가치를 비교할 수 있는 지수

인플레이션, 돈이 많다고 다 좋을까?

집집마다 돈이 열매처럼 열리고 아무리 써도 또 열리는 돈 나무가 있다면 어떨까요? 이러한 상상이 현실이 된다면 모두가 행복할까요?

상상은 행복하지만 현실은 그렇지 않습니다. 돈이 흔해지면 만 원이면 살 수 있던 물건을 만 원보다 더 비싸게 사야 하기 때문입니다. 돈이 시중에 너무 많이 풀리면 서로 더 많은 돈을 주고 한정된 물건을 사려고 하기 때문에 물건의 가격이 오릅니다. 이렇게 돈의 가치는 떨어지고 물건의 값이 지속적으로 상승하는 것을 인플레이션이라고 합니다.

경제 쏙 정리!

물가가 계속해서 오른다면?

인플레이션: 돈의 가치는 떨어지고 물가는 지속적으로 상승하는 현상

역사적으로 아주 극심한 인플레이션으로 국민이 고통받은 일은 여러 번 있었습니다. 1920년대 독일에서는 돈을 수레에 가득 싣고 가도 우유 한 병을 살 수 없을 만큼 돈의 가치가 떨어졌습니다. 당시 제1차 세계대전이 끝나고 패전국가가 된 독일은 경제적으로도 매우 큰 어려움에 처했습니다. 막대한 전쟁 배상금을 지불해야 했던 독일 정부는 돈을 마구 찍어 내서 이 문제를 해결하려고 했습니다. 그런데 시중에 돈이 많아지면서 물가는 천정부지로 오르게 되고 독일의 지폐인 마르크는 더 이상 돈의 기능을 할 수 없는 휴지조각이 되었습니다.

아프리카 중남부 짐바브웨에서는 더 심각한 상황이 벌어졌습니다. 짐바브웨는 40년 전만 해도 아프리카의 부유한 국가였습니다. 하지만 여러 가지 정치, 경제적 상황으로 돈을 마구 찍어 내면서 돈의 가치는 떨어지고 물가는 폭등했습니다. 짐바브웨의 100조 달러를 가지고 계란 3개를 겨우 살 수 있을 정도였습니다. 2008년 당시 물가 상승률이 2억%였다고 하니 국민들이 잘못된 화폐정책으로 얼마나 큰 고통을 받았을지 짐작할 수 있습니다.

석유 매장량으로 경제를 유지하며 부유하게 살던 베네수엘라는 석유 공급 과잉과 정치적, 경제적 위기로 물가가 가파르게 상승했습니다. 결국 2016년부터 심각한 인플레이션으로 베네수엘라의 경제는 빠르게 붕괴되었습니다.

이처럼 단기간에 급격하게 일어나는 인플레이션을 초인플레이션 또는 하이퍼인플레이션이라 합니다. 모든 국가의 국민이 어느 정도의 인플레이션을 경험하며 살고 있지만 급격하게 한 나라의 화폐 가치가 하락하고 물가가 오르는 것은 큰 문제입니다. 매우 빠른 속도로 상품의 가격이 폭등하고 돈이 휴지조각처럼 되어 버린다면 기업은 부도가 나고, 실업률이 증가하며, 세금 수입이 감소하면서 여러 가지 부정적인 경제적 파급효과가 생깁니다.

초인플레이션까지는 아니더라도 지나친 인플레이션이 발생하면 물건을 사고 싶어도 물건값이 비싸니 사려고 하지 않을 것이며 건물과 토지 등의 실질 자산을 가진 사람보다 월급을 받는 사람이 불리해 부의 불평등을 부릅니다. 사람들이 건전하고 안정적으로 투자하거나 저축하기보다는 투기를 할 것이며 국내 물건이 외국의 물건보다 비싸 잘 팔리지 않고 수출이 감소하는 현상이 일어날 수 있습니다.

그렇다면 인플레이션 발생 시 국가적 차원에서 어떤 노력을 할까요? 우선 정부는 공공요금의 인상을 억제하거나 생필품의 가격 인상을 규제하게 됩니다. 돈을 만들어 내는 중앙은행은 돈의 양을 늘리지 않고 금리를 올려서라도 돈을 거둬들이는 정책을 해야 물가가 안정적으로 회복될 수 있습니다.

디플레이션, 언제까지 떨어질 거니?

물가가 계속 오르면 살 수 있는 물건의 양은 줄어듭니다. 그렇다면 반대의 경우는 없을까요? 인플레이션과 반대로 물가가 지속적으로 하락하는 현상을 디플레이션이라고 합니다.

단순하게 생각하면 물건의 값이 계속 떨어지니 좋을 것 같습니다. 하지만 스마트폰 가격이 오늘보다 내일이 더 떨어지고 그다음 날이 더 떨어지고 한 달 내내 가격이 떨어진다고 상상해 봅시다. 여러분이라면 스마트폰을 언제 사게 될까요? 일단 오늘 당장 사지는 않겠죠. 이렇게 물건의 가격이 계속 떨어지는 것을 보고 사람들은 돈 쓰는 일을 미룰 것입니다. 그렇게 되면 기업이 물건을 만들어 내도 사람들이 구입하지 않으니 기업은 생산을 멈추고 일자리는 줄어들고 사회 전체의 경제가 나빠질 것입니다. 이렇게 악순환에 빠지는 것을 디플레이션의 공포 즉 D의 공포라고 합니다.

인플레이션과 디플레이션은 시장 내 화폐와 물건 사이의 수요·공급 균형이 깨지면서 생기는 현상입니다. 인플레이션이 물가가 올라서 화폐의 가치가 떨어진다면 반대로 디플레이션은 물가가 내려서 화폐의 가치가 오르게 됩니다. 같은 물건을 더 작은 돈으로 살 수 있으니까요.

경제 쏙 정리!

물가가 계속해서 내린다면?

디플레이션: 물가가 지속적으로 하락해서 경기가 침체되는 현상

경제학자들은 경제를 흔히 우리 몸에 비유합니다. 물가는 우리 경제의 건강을 체크해 주는 지표입니다. 고혈압은 인플레이션에, 저혈압은 디플레이션에 해당합니다. 혈압이 너무 높아도, 너무 낮아도 위험한 것처럼 경제도 마찬가지입니다. 심한 인플레이션과 디플레이션은 모두 위험하지요. 우리나라도 완만한 수준의 인플레이션으로 건강한 경제 성장을 이뤄 나갔으면 좋겠습니다.

책가방 물가지수도 만들어 주세요

아빠와 대형 마트에 간 유빈이는 커다란 카트를 끌며 시식코너를 돌았습니다. 시식코너에서 먹는 '한 입만'은 꿀맛이지요. 그런데 아빠의 표정이 그리 좋지 않습니다.

"장마철이라 그런가 야채가 왜 이렇게 비싸지?"

아빠는 사려고 했던 배추를 집었다가 다시 내려놓았습니다. 야채 코너를 지나 정육 코너에 가서는 삽겹살 가격을 보더니 "돼지고기도 올랐네?"라고 중얼거렸습니다. 유빈이는 20분째 빈 카트만 끌며 시식을 하려니 눈치가 보였습니다.

어른들은 마트만 오면 물건을 집었다가도 다시 내려놓기 일쑤입니다. 주유소에서도 주유를 할까 말까 고민하며 휘발유 가격을 따져 봅니다. 장바구니 물가는 오르는데 월급은 오르지 않으니 살림살이가 많이 어려운 것 같습니다.

유빈이는 들어오는 돈은 똑같은데 물가만 오르는 상황은 학생도 똑같다고 생각했습니다. 장바구니를 들고 다니는 부모님에게 장바구니 물가지수가 있다면 책가방을 메고 다니는 학생의 책가방 물가지수는 없는 건지 궁금했습니다. 그래서 집에 돌아오자마자 엄마에게 물었습니다.

"엄마! 뉴스에서 들었는데요. 소비자 물가지수니 장바구니 물가지수니 하면서 물가가 올랐다고 하잖아요. 혹시 책가방 물가지수는 없나요?"

엄마는 유빈이가 생각한 단어가 재미있다는 듯이 웃었습니다.

"책가방 물가지수라. 네가 만든 단어니? 재밌네."

"저희도 신상 필기도구가 비싸면 사려고 했다가도 내려놓거든요. 마카롱도 먹고 싶지만 꾹 참는단 말이에요. 피시방이나 코인 노래방도 가격이 비싼 곳는 안 가요. 학생들이 주로 사용하는 물품도 해마다 가격이 오르는데 용돈도 올라야 하지 않을까요? 그래서 말인데요. 일주일에 2만 원으로 용돈을 올려 주면 안 될까요?"

그제야 엄마는 유빈이의 의도를 알아차렸습니다.

"그러니까 물가에 맞춰 용돈도 올려 달라는 거구나? 그렇다면 엄마가 제안을 하나 할게."

유빈이는 그냥 지나가는 말로 한 건데 진짜 용돈을 올려 줄 것 같아 깜짝 놀랐습니다.

"뭔데요? 말씀해 보세요."

"책가방 물가지수라고 했니? 그럼 책가방 물가지수표가 있어야겠네. 문구점을 돌면서 전년도 대비 가격이 얼마나 올랐는지 묻고 조사 품목은 50개는 되어야 하고 구체적인 통계도 내고…."

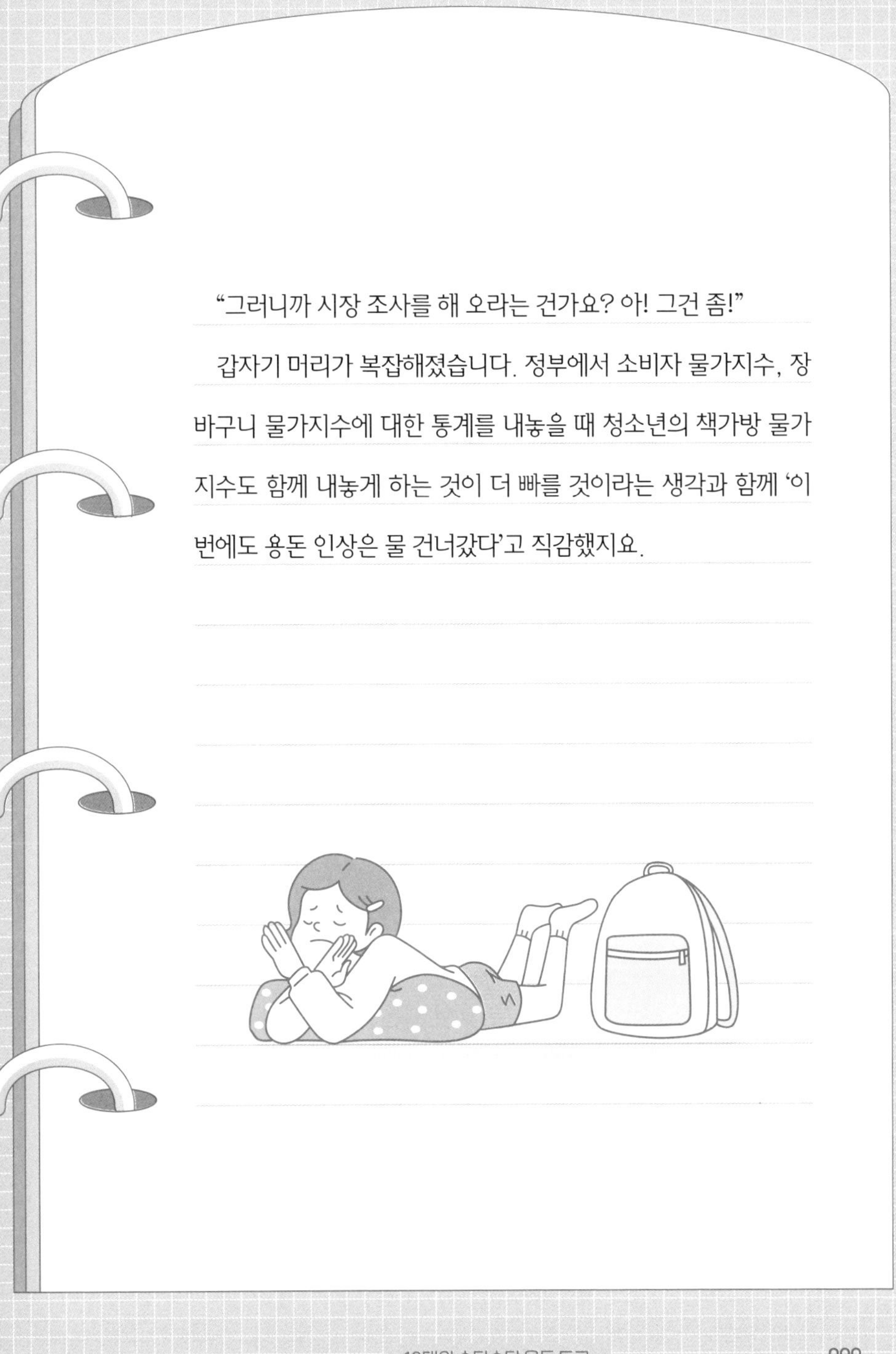

"그러니까 시장 조사를 해 오라는 건가요? 아! 그건 좀!"

갑자기 머리가 복잡해졌습니다. 정부에서 소비자 물가지수, 장바구니 물가지수에 대한 통계를 내놓을 때 청소년의 책가방 물가지수도 함께 내놓게 하는 것이 더 빠를 것이라는 생각과 함께 '이번에도 용돈 인상은 물 건너갔다'고 직감했지요.

100
500
5장

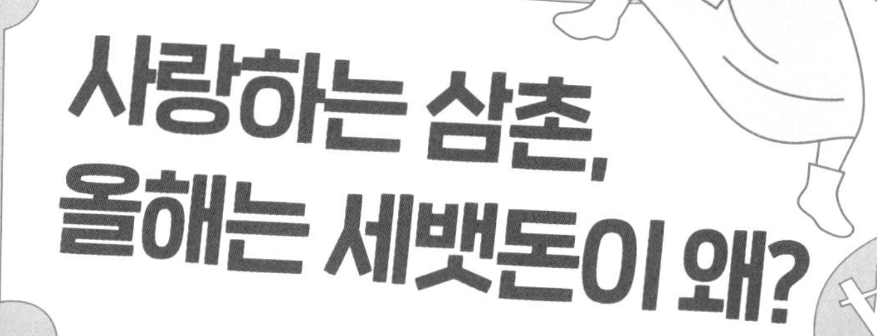

사랑하는 삼촌, 올해는 세뱃돈이 왜?

5만 원으로 알아보는
실업과 경기

설날이 며칠 뒤로 다가오자 유빈이는 설렜습니다. 바로 세뱃돈 때문입니다. 유빈이는 아무에게도 내색하지 않았지만 이번에 중학교에 들어갔으니 내심 세뱃돈 수준이 훨씬 높아지지 않을까 기대를 품고 있었습니다.

유빈이는 학원 수업을 마치고 친구들과 분식집으로 향했습니다.

"너희는 설날에 시골로 가니?"

"어, 우리는 부산 할아버지네로 가."

"우리는 전주에 내려가."

"와! 부럽다. 나는 친척집이 다 서울인데…. 명절에 버스 타고 시골에 가는 사람들 보면 좋아 보이더라. 휴게소에서 간식도 사 먹고."

"무슨 소리야? 얼마나 힘든데. 길이 엄청 막혀서 가도 가도 끝이 없다고. 멀미도 난단 말이야."

대뜸 한 친구가 "멀리 가든 가까이 가든 세뱃돈이나 많이 받았으면 좋겠다"라고 말하자 다들 폭소를 터뜨렸습니다. 역시 학생들의 최고 관심사는 용돈입니다.

"나는 세뱃돈을 받아도 아빠한테 다 뺏겨서 완전 짜증 나. 대학 가면 준다는 핑계로 가져가시거든. 안 뺏기는 방법이 없을까?"

"얼마 받았는지 속이는 건 어때?"

"나도 숨기고 싶은데 어떻게 아시는지 누구한테 얼마 받았는지 모두 알더라고."

"우리 엄마는 알아서 내 통장에 넣으라고 하셔. 그런데 이상하게 내 통장인데도 저축하기 싫은 거 있지."

세뱃돈에 대한 성토대회는 용돈을 사수하는 방법이 무엇인지로 바뀌었습니다. 이런저런 이야기를 하던 중 가장 좋은 방법은 반드시 자신의 통장에 저축하는 것이라는 결론이 내려졌습니다. 저축을 한다고 하면 부모님도 어찌지 못할 테니까요. 친구들은 세뱃돈을 사수할 더 좋은 방법이 있으면 공유하기로 하고 헤어졌습니다.

유빈이도 명절이 시작되기 전에 가족이 모두 모인 자리에서 세뱃돈을 저축하기로 했다는 사실을 밝혔습니다.

"이제부터 명절에 받은 돈은 저축할 거예요. 지금 사용하는 통장 말고요. 제 이름으로 된 통장을 만들고 싶은데 어떤 통장에 저축하면 좋은지 알려주세요."

"돈 쓸 생각만 하는 줄 알았는데 유빈이가 다 컸네!"

"히히, 다 저축하는 건 아니에요."

"그래, 유빈이를 믿어 보자. 정기적금 말고 자유적금으로 통장을 만들어 돈이 생길 때마다 저축하면 이자도 받고 딱이겠네."

"정기적금? 자유적금이요?"

"응, 자유적금은 돈이 생길 때마다 저축할 수 있는 통장이야."

"알겠어요."

명절 용돈 사수 프로젝트가 차질 없이 진행되는 것 같아 다행입니다. 부모님께 칭찬도 받고 내 용돈도 지키고 이게 바로 꿩 먹고 알 먹고 일석이조지요.

유빈이는 과연 이번에는 용돈을 얼마나 받을지 명단을 한번 체크해 보기로 했습니다. 일단 할머니, 할아버지, 큰아빠와 큰엄마, 고모와 고모부 그리고 결혼 안 한 삼촌이 있습니다. 작년에 받은 세뱃돈을 계산해 보니 예상 금액이 대략 나왔습니다. 가장 기대가 되는 사람은 별명이 '조카 바보'인 삼촌입니다. 삼촌은 '우리 예쁜 유빈이' 하면서 가끔 부모님 몰래 용돈을 주기도 했습니다.

드디어 설날, 친척집에 도착하니 큰아빠네가 이미 와 있었고 고모부네도 속속 도착했습니다. 작년 추석에 만나고 몇 달 만이니 다들 반갑게 인사를 했습니다.

아이들은 방에 우르르 들어가 게임을 하기 바빴고 거실에서는 어른들이 서로 안부를 물으며 웃음꽃을 피웠습니다. 그런데 삼촌이 보이지 않았습니다. '삼촌은 어디 가셨지? 다른 방에 계신가?' 사촌 동생이 설 연휴 전에 유럽으로 가족여행을 다녀왔다면서 자랑을 시작했지만 유빈이의 관심은 오직 삼촌이었습니다. 유빈이가 화장실을 가려고 거실로 나와 보니 반갑게도 삼촌 모습이 보였습니다.

"삼촌!"

"오, 우리 유빈이 왔니? 그새 많이 컸는데."

삼촌은 반가워 하면서 등을 토닥여 주었습니다. 역시 조카 사랑은 그대로였습니다.

드디어 세배 시간이 왔습니다. 아이들은 나이 순서대로 줄을 섰습니다. 유빈이는 괜스레 세뱃돈에는 관심이 없다는 표정을 지었습니다.

"새해 복 많이 받으세요."

"그래, 너희들도 새해 복 많이 받으렴."

아이들은 세뱃돈을 받으며 줄줄이 사탕처럼 옆으로 지나갔고 어른들은 봉투에 적은 이름을 확인하느라 바빴습니다. 시크하게 세뱃돈을 받고 싶었지만 봉투를 여러 장 받으니 웃음이 절로 새어 나왔습니다.

집으로 돌아오는 차에서 드디어 봉투를 열어 보았습니다. 가장 기대를 했던 삼촌의 봉투를 제일 먼저 열어 보고 유빈이는 적잖은 실망을 했습니다. 삼촌은 당연히 5만 원을 줄 거라고 생각했는데 아무리 봐도 봉투에는 '유빈'이라고 적혀 있고 2만 원이 들어 있었습니다.

'중학생인데 작년보다 줄어들다니…. 액수를 착각하셨나?'

봉투 안을 들여다보고 흔들어 봐도 용돈은 나오지 않았습니다. 누구한테 물어볼 수도 없고 답답해 하며 차창 밖을 내다보다 그만 깜빡 잠이 들었습니다.

그런데 잠결인지 꿈결인지 라디오에서 뉴스가 들렸습니다. 작년 GDP가 어쩌고저쩌고…. 물가가 심상치 않고 경기가 좋지 않다는 앵커의 말이 들리더니 갑자기 부모님이 삼촌에 대한 이야기를 시작했습니다. 삼촌이 다니던 회사가 문을 닫아 몇 달째 집에서 쉬고 있다는 것이었습니다. 다른 회사를 알아보고 있지만 다시 직장을 구하는 것이 쉽지 않은 듯하다며 걱정을 했습니다.

실업은 왜 생기나요?

유빈이는 세뱃돈을 많이 받을 생각만 했지 삼촌이 얼마나 힘든지는 알지 못했다는 점이 미안했습니다. 또한 지금 경제가 많이 어렵다는 것을 어렴풋이 체감하게 되었지요.

실업이란 일할 능력이 있고 일할 생각도 있지만 일자리를 갖지 못한 상태를 말합니다. 개인에게 실업은 아주 힘든 일입니다. 소득이 없어서 경제생활이 어렵고 혼자 뒤처졌다는 소외감을 느끼게 되지요. 사회적 차원에서도 큰 문제입니다. 국민이 실업으로 소득이 줄어 소비가 감소하면 경제 성장이 둔화되고 여러 사회문제가 생기기 때문입니다.

실업의 종류는 여러 가지입니다. 경기침체로 발생하는 경기적 실업, 산업의 변화로 발생하는 구조적 실업, 계절이 바뀌며 발생하는 계절적 실업, 새로운 직장을 구하기 위한 마찰적 실업 등이 있습니다.

경기적 실업은 경제 상황이 좋지 않아 기업들이 직원을 더 이상 뽑지 않고 해고를 하면서 발생하는 실업입니다. 경기적 실업은 국가가 돈과 관련된 여러 재정정책을 펼치면서 줄일 수 있습니다. 경기를 다시 좋게 하기 위해 기업을 지원해 주는 식입니다.

구조적 실업은 기술이 발달하거나 산업구조가 변하면서 생겨나는 실업을 말합니다. 한때 활발하게 성장했던 산업이 새로운 산업에 밀려 쇠퇴하면 기존의 일자리가 없어지게 됩니다. 예를 들어 전자책이 발달하면서 종이책 인쇄와 관련된 회사의 매출이 줄고 고용이 줄어들 수 있지요. 새로운 기술이 계속해서 나오는 만큼 구조적 실업은 언제나 생겨날 수 있는 실업입니다. 국가는 기술 교육이나 재교육 등을 통해 이런 실업을 줄이려 노력합니다.

계절적 실업은 계절에 따라서 일이 생기기도 하고 없어지기도 하는 것입니다. 추운 겨울에 일하던 스키 강사나 붕어빵 장수가 여름이 되면 일자리를 잃는 경우입니다.

다니던 직장이 자신과 맞지 않다고 생각하고 더 좋은 직장을 구하기 위해 일시적으로 실업 상태가 되기도 하는데 이것을 마찰적 실업이라고 합니다. 마찰적 실업은 그 자체로는 부정적인 실업이 아니며 정부가 새로운 직업을 찾는 사람들에게 취업 정보를 제공하면서 해결합니다. 더 나은 직장을 구하기 위해 스스로 원해서 하는 실업이기 때문에 자발적 실업이라고도 합니다. 구조적 실업과 마찰적 실업은 언제나 존재하므로 어떤 국가에서도 실업률 0%는 없습니다.

경제 쏙 정리!

실업에는 어떤 종류가 있을까?

경기적 실업: 경기가 좋지 않아 생기는 실업
구조적 실업: 기술 발달이나 산업구조 변화로 생기는 실업
계절적 실업: 계절 변화로 생기는 실업
마찰적 실업: 퇴사, 이직 등으로 생긴 일시적 실업

실업과 물가의 연결고리

뉴스에서 '경기가 좋다', '경기가 안 좋다'라는 말을 많이 들어 봤을 것입니다. 여기에서 말하는 경기는 정확히 무엇일까요? 경기는 경제 상태가 어떤지 알려 주는 지표입니다. 소비, 고용, 생산, 투자 등 실물부문과 돈의 거래량, 금리, 주식 가격 등의 금융부문과 수출, 수입 등 대외부문의 여러 가지 경제변수를 종합한 큰 흐름입니다. 경기가 좋을

때를 호황이라고 부르며 경기가 좋지 않은 때를 불황이라고 부르지요.

호황일 때는 가계와 기업의 경제활동이 활발해지면서 전반적으로 수요와 공급이 늘고 투자가 많아지고 고용률이 높아집니다. 반면 불황일 때는 물가와 임금이 내리고 생산이 위축되며 실업이 늘어납니다. 경기는 너무 과열되어도 너무 침체되어도 안 됩니다.

그렇다면 경제가 좋은지 안 좋은지 어떻게 알까요? 기업이 고용이나 시설 투자를 늘렸는지, 소비자가 소비를 얼마나 하는지 등을 보면 알 수 있지만, 가장 분명하고 중요한 조건은 실업률입니다.

물가는 완만하게 상승해 안정적이고, 고용이 늘고, 실업률이 줄면, 우리는 경제 상황이 좋아졌다고 말합니다. 하지만 이런 상황을 만드는 것이 쉬운 일은 아닙니다. 실업과 물가의 관계가 까다롭기 때문입니다.

영국의 경제학자 필립스는 1861년에서 1956년까지, 거의 100년 동안의 영국 실업률과 물가 상승률을 소사해 필립스 곡선이라는 이론을 제시했습니다. 조사 결과에 따르면 실업률이 높을 때는 물가가 안정적이고 실업률이 낮을 때는 물가 상승률이 높았습니다. 필립스는 실업률과 물가 상승률은 반대로 움직인다고 주장했습니다. 따라서 실업과 물가 상승, 두 마리 토끼를 한 번에 잡기는 어렵다는 것입니다. 정부가 실업률을 낮추는 정책을 펼치면 물가가 빠르게 상승할 것이고 물가를 잡으려 하면 실업률이 높아질 수밖에 없습니다.

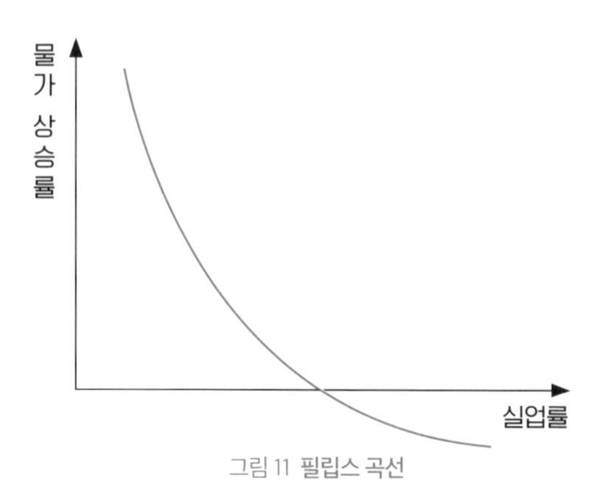

그림 11 필립스 곡선

물가가 오르면 소비자는 이전보다 더 많은 돈을 지출해야 합니다. 그만큼 월급도 올라야 하는데 월급이 오르는 속도보다 물가가 오르는 속도가 빠르면 경제적 고통이 급격히 커집니다. 실업 역시 사람들을 고통스럽게 하는 요소입니다. 이렇게 국민이 피부로 느끼는 경제적 어려움을 수치로 나타낸 것이 경제고통지수입니다.

경제고통지수는 미국의 경제학자 오쿤이 착안한 개념으로 물가 상승률과 실업률을 합해서 계산합니다. 예를 들어 2019년 12월 기준 실업률이 3.4%이고 물가 상승률이 0.7%라면 이 둘의 수치를 합친 4.1이 경제고통지수입니다. 이런 지수가 있을 정도로 물가와 실업은 국민의 삶에 직접적인 영향을 끼칩니다. 따라서 물가를 안정시키고 실업을 줄여 고용을 늘리는 것은 국민들의 안정적 경제생활을 위해 매우 중요한 국가의 목표입니다.

GDP, 얼마나 성장했는지 알려 줘

우리는 자본에 의해 경제가 돌아가는 자본주의 사회에서 살고 있습니다. 자본주의 사회에서는 얼마나 다양한 양질의 상품을 생산해 냈는지가 중요합니다. 그래서 한 나라의 경제 규모를 측정할 때도 그 나라가 생산한 것들을 자본으로 환산해 평가합니다. 이것이 바로 GDP입니다.

GDP는 국내총생산이라고도 부릅니다. 경제 성장은 한 나라의 생산 능력이 커졌다는 것을 의미합니다. 그 나라의 생산 능력이 높아져서 생산량이 는 것이죠. 즉 경제 성장률이란 GDP의 증가율을 말합니다.

GDP에 포함되는 것은 경제 3주체 즉 가계, 기업, 정부가 한 나라 안에서 1년 동안 새롭게 생산하는 모든 재화와 서비스입니다. 이를 시장가격으로 평가해 더한 것입니다. 예를 들어 우리나라의 GDP가 1,919조 원이라면 한 해 동안 우리나라에서 생산된 모든 재화와 서비스의 시장가치가 1,919조 원이라는 뜻입니다.

우리나라는 얼마나 성장했을까?

경제 3주체: 가계, 기업, 정부

GDP: 국내에서 1년간 새롭게 생산된 최종 생산물의 가치를 시장가격으로 평가해 합산한 것

경제 성장률: GDP의 증가율

GDP는 최종 생산된 것만 포함하기 때문에 일반적으로 부품이나 원자재 등 중간재는 포함되지 않습니다. 목수가 책상을 만들려고 산 목재는 포함되지 않는 것입니다. 또한 그해 생산되지 않은 중고품 거래도 포함되지 않습니다.

GDP에는 국내에서 한 사람 한 사람이 일을 하고 버는 소득도 포함됩니다. 그런데 예외도 있습니다. 아이를 돌보는 베이비시터의 수입은 GDP에 포함이 되지만 부모님이 아이를 키우는 노고는 포함되지 않습니다. 농부가 키운 토마토는 GDP에 포함이 되지만 우리 가족이 주말농장에서 키운 토마토는 포함되지 않습니다. 돈으로 환산하기 어렵기 때문입니다.

그렇다면 해외에서 주로 활동하는 우리나라 국적의 축구선수가 좋은 성적을 내 연봉이 올라가면 GDP가 커질까요? GDP의 D는 국내domestic를 뜻하는 말로 국내에서 생산되는 물건, 벌어들인 소득만 해당합니다. 따라서 우리나라 선수가 해외에서 활동했다면 그 연봉은 GDP에 포함되지 않습니다. 반면 외국 기업이 우리나라에서 생산한 물건은 GDP에 포함이 됩니다. 비록 국적은 다르더라도 우리나라의 울타리 안에서 생산이 되었고, 우리나라 경제에 영향을 끼치기 때문입니다.

세계적인 경제지 〈포브스〉에 따르면 2019년 방탄소년단의 경제효과 추정치는 5조 5,000억 원으로 우리나라 전체 GDP의 0.2%에 이릅니다. 실업이 증가하고 경기가 좋지 않아 경제 성장이 둔화되는 저성장 시대에는 사회와 국가의 노력이 필요하지만, 자신을 특화하는 개인의 노력도 중요합니다.

경쟁이 치열한 사회를 바다에 비유할 수 있습니다. 경쟁 없이 많은 물고기를 차지할 수 있는 푸른 바다를 경제용어로 블루오션이라고 합니다. 블루오션은 신기술이나 신제품을 개발해서 시장을 선점할 때 가능합니다. 다른 사람에게는 없는 자신만의 기술이나 전문적 영역을 가진 사람은 푸른 바다에서 경쟁자 없이 자신의 꿈을 펼칠 수 있습니다. 반대로 경쟁자가 너무 많아서 피가 날 정도로 치열하게 싸우는 시장을 레드오션이라고 합니다.

블루와 레드를 합하면 퍼플보라이 되는 것을 착안해 퍼플오션이라는 단어도 생겨났습니다. 블루와 레드의 장점만을 모은 시장이 퍼플오션입니다. 완전히 새로운 시장을 개척해 블루오션에 뛰어드는 것보다 기존의 익숙한 레드오션에서 조금 다른 상품을 만드는 것입니다. 즉 발상의 전환을 통해 남들이 생각하지 못했던 가치를 창출하는 것이죠.

앞으로의 사회는 경쟁이 더욱 치열할 것입니다. 새로운 산업의 발달로 기존의 직업이 사라지기도 할 것입니다. 자신만의 바다를 만들려면 세상과 경제의 흐름을 읽는 눈이 있어야 합니다.

경제 쏙 정리!

시장을 바다로 표현한다면?

블루오션: 경쟁이 없는 시장

레드오션: 경쟁이 치열한 시장

퍼플오션: 블루와 레드의 장점만 모은 시장

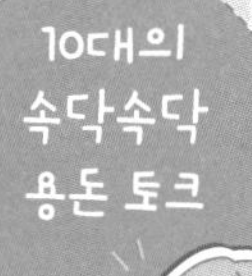

붕어빵 아저씨가 보라색 바다에 빠지다

"우리 집에서 제일 현금이 많은 사람이 누굴까?"

엄마 아빠는 유빈이에게 설날 때 받은 세뱃돈으로 자꾸 한턱을 내라고 합니다. 따로 쓸 곳이 있다고 해도 막무가내입니다.

"유빈아, 네가 받은 세뱃돈은 결국 어디서 나온 걸까?"

엄마 아빠 지갑에서 할머니 할아버지 용돈이 나가고 그 돈이 다시 유빈이 손으로 들어오는 거라며 세뱃돈의 출처를 따졌습니다. 결국 유빈이는 마지못해 한턱내기로 했습니다.

"알았어요. 제가 우리 가족을 위해 한 번 쏠게요. 너무 비싼 메뉴는 안 되는 거 아시죠?"

엄마 아빠는 "유빈이가 아낀 용돈이 드디어 나오는구나" 하며 웃었습니다. 그러고는 붕어빵이 먹고 싶다고 했습니다. 유빈이에게 붕어빵 정도는 충분히 쏠 수 있는 간식이었습니다.

"아파트 앞에서 붕어빵 팔지? 붕어빵 좀 얻어먹어 보자."

겨울이면 아파트 정문에서 붕어빵을 파는 아저씨가 나타납니다. 팥도 꽉 차게 넣어 주고 꼬리 부분은 빠삭해서 맛집으로 소문이 났습니다. 친절하기까지 합니다.

"알겠어요. 빨리 뛰어 갔다 올게요."

외투를 챙겨 입고 현관문을 나오는데 바람이 불어 춥습니다. 갑자기 붕어빵 아저씨는 겨울이 지나면 실업자가 되는 것은 아닌지 걱정이 되었습니다. 덩달아 이번 설날에 본 삼촌 모습도 떠올랐습니다.

붕어빵 트럭에 다다르자 이미 줄이 길었습니다. 장사가 잘 되는 것을 보니 마음이 따뜻해집니다. 따뜻한 붕어빵 봉투를 가슴에 품고 집에 와서 엄마에게 물었습니다.

"붕어빵 아저씨는 겨울이 지나면 실업자가 되는 건가요?"

"그렇지 않아도 엄마가 아저씨한테 물어본 적 있는데…."

"역시 우리 엄마네. 궁금한 거는 못 참고 물어보셨구나."

"아저씨가 아주 대단하시던데. 겨울에는 붕어빵을 파시고 봄가을에는 트럭에 꽃과 화분을 싣고 다니면서 파신대. 화분갈이도 하고. 여름에는 어떤 거 파시는지 아니? 지난번에 맛있게 먹은 옥수수 있지? 그거 그 붕어빵 아저씨한테서 산 거야."

"진짜요? 대단하시네요."

"붕어빵 아저씨는 직업이 5개나 되는 거지."

유빈이는 붕어빵 아저씨가 남들이 하지 않는 혼자만의 퍼플오션을 발견한 것 같았습니다. 삼촌도 빨리 자신만의 블루오션, 아니 퍼플오션을 찾아서 일을 시작했으면 하는 생각이 들었습니다.

100
500
6장

10만 원으로 알아보는 환율과 국제거래

"흐흑, 흐흑. 이게 다 엄마 때문이야!"

유빈이는 자기도 모르게 잠꼬대를 하고 있었습니다. 거실에 있던 엄마는 학교에 갈 시간이 되었는데도 안 일어나는 유빈이를 깨우러 방에 들어갔습니다.

"유빈아! 꿈꿨어? 무슨 꿈인데 엄마 때문이라는 거야?"

유빈이는 깨우는 소리에 일어나고도 한참을 흐느끼더니 갑자기 창피해졌는지 이불을 뒤집어썼습니다. "아, 꿈이었잖아!" 하면서 안도의 한숨을 쉽니다.

"무슨 일인데?"

유빈이는 그제야 꿈 이야기를 했습니다.

"아니, 꿈에서 언니랑 둘이 미국 여행을 가게 되었는데 엄마가 돈을 안 주는 거예요. 엄마랑 싸우다가 결국 제 통장에 있는 10만 원을 꺼내

갔어요. 달러가 너무 비싸서 여행 계획이 다 엉망진창이 되었다고요."

"으이그! 꿈에서도 엄마 탓을 하네. 어여 일어나 씻고 밥 먹어."

매일매일 바뀌는 환율의 세계

환전, 환율이라는 단어를 들어 본 적이 있나요? 뉴스에서 아나운서가 '환율이 급등했다'고 심각하게 말하는 모습을 봤거나 해외여행 갈 때 얼마를 환전할지 고민하며 관심을 가져 봤을 수 있겠습니다.

환율이란 우리나라의 돈과 다른 나라의 돈을 바꿀 때 적용되는 비율을 말합니다. 과거의 물물교환을 생각해 볼까요. 나에게 사과가 있고 상대방에게는 물고기가 있다면, 사과 몇 개를 물고기 몇 마리랑 바꿀지 서로 논의해 정할 것입니다. 환율도 이와 똑같습니다. 우리나라 돈 1,000원을 미국 돈 얼마와 바꿀지, 중국 돈하고는 얼마와 바꿀지, 일본 돈은 얼마가 적정할지를 정하는 것입니다.

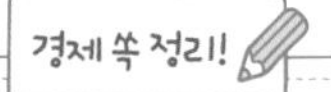

환율이 도대체 뭐야?

환전: 각 나라의 돈을 서로 바꾸는 일

환율: 각 나라 돈의 가치를 비교하는 기준

해외 여행지에서 무엇을 먹을까 고민하다가 결국 익숙한 프랜차이즈 햄버거 가게를 찾은 적이 누구나 있을 것입니다. 햄버거 매장에 들어가서 가격을 보면 '한국에서 얼마인데 여기는 얼마네' 하면서 자연스럽게 비교를 하겠죠? 환율이 1,200원인 상황에서 햄버거가 5달러라고 써 있다면 우리나라 돈으로는 6,000원입니다. 우리나라에서 햄버거가 5,000원이라면 미국은 우리나라보다 햄버거가 비싸다고 생각할 것입니다.

특히 뉴스에서는 '원 달러 환율'이라는 표현을 자주 사용합니다. 이 단어는 1달러를 구입하기 위해 원화가 얼마가 필요한지를 보여 줍니다. 뒤에서부터 해석을 해야 합니다. 만약 원 달러 환율이 1,200원이라면 1달러를 교환하는 데 원화가 1,200원이 필요하다는 뜻입니다.

경제 쏙 정리!

돈의 또 다른 이름은?

원화: 우리나라 돈을 부르는 또 다른 이름. 100원, 1,000원 할 때 '원'에 재화를 뜻하는 한자 '화貨'가 붙은 단어
다른 나라의 돈: 미국의 돈은 달러화, 중국의 돈은 위안화, 일본의 돈은 엔화라고 함

1,000원을 얼마로 바꿀 수 있는지는 인터넷에서 오늘 환율을 검색하면 바로 알 수 있습니다. 그런데 환율이 조금씩 달라지는 모습을 볼 수 있을 것입니다. 환율은 고정되지 않고 계속해서 변동합니다. 어제

는 1달러와 1,000원을 바꿨지만 내일은 1달러와 1,100원을 바꾸기도 하며 어떨 때는 1,150원으로 바꾸기도 합니다. 지금 환율을 찾아보면 또 바뀌어 있을 것입니다.

1달러와 바꿀 수 있는 돈이 1,000원에서 1,200원이 되는 것을 환율이 올랐다고 표현합니다. 반대로 1,200원에서 1,000원으로 줄어들었다면 환율이 내렸다고 표현합니다. 그렇다면 환율이 오를 때는 누가 이익이고 내릴 때는 누가 좋아할까요?

1달러와 1,000원을 바꾸다가 1달러와 1,200원을 바꿔야 한다고 생각해 봅시다. 만약 해외 제품을 사려고 기다렸던 사람이라면 당연히 내 돈을 최대한 덜 주고 바꾸는 것이 좋습니다. 따라서 이렇게 환율이 오르면 사람들은 달러와 관련된 것을 살 때 주춤합니다. 환율이 떨어지길 기다리기도 하고요.

환율이 올랐다는 것은 1달러를 사는 데 우리나라 돈을 더 많이 줘야 한다는 의미입니다. 1달러를 갖는 것은 똑같은데 내 돈은 더 드니 우리나라 돈의 가치가 떨어졌다고 할 수 있습니다. 그래서 환율이 상승하면 우리나라 돈이 평가절하平價切下되었다는 말을 씁니다. 아래 하下라는 한자에서 알 수 있듯이 우리나라 돈의 평가가 하락했다는 표현입니다.

반대의 경우도 생각해 볼 수 있습니다. 1달러에 1,200원이었는데 1달러에 1,100원이 되면 환율이 내렸다고 하지요. 이미 1달러를

1,200원 주고 샀는데 환율이 떨어지면 아쉬운 마음이 들 것입니다. 반대로 1달러를 1,100원에 샀다면 쾌재를 부를 것이고요.

환율이 내렸다는 것은 1달러를 사는 데 우리나라 돈을 덜 줘도 된다는 의미입니다. 1달러를 갖는 것은 똑같은데 내 돈은 덜 드니 우리나라 돈의 가치가 올라갔다고 할 수 있습니다. 이때는 우리나라 돈의 평가가 상승했다는 의미에서 평가절상平價切上이라는 말을 씁니다.

그렇다면 왜 환율은 오르락내리락하는 걸까요? 화폐, 즉 돈도 상품처럼 너무 양이 많으면 가격이 떨어집니다. 반대로 돈의 양이 줄어들면 가격이 오릅니다.

달러의 양을 늘리는 요인 중 하나가 수출입니다. 수출이 늘어난다는 것은 우리나라 물건이 외국에서 잘 팔린다는 뜻입니다. 해외에 물건을 팔고 받은 달러가 늘어나거나 외국 관광객이 한국에 들어와 돈을 많이 쓰면 우리나라에 달러가 많아지게 됩니다.

이렇게 달러가 많아지면 달러의 가치는 어떻게 될까요? 당연히 떨어지겠죠. 달러의 가치가 떨어지면 상대적으로 우리나라 돈의 가치는 올라갈 수밖에 없습니다. 우리나라 돈의 가치가 높으니 달러와 교환 시 유리합니다. 이것이 달러의 가치가 하락하는 환율 하락입니다.

반대의 경우, 우리나라에 수입품이 많이 들어오면 달러가 나가게 됩니다. 우리가 해외여행을 많이 나가도 역시 달러가 많이 나갑니다. 달러의 양이 적어지면 달러의 가치는 올라가고 우리나라 돈의 가치는 내려갑니다. 이것이 달러의 가치가 상승하는 환율 상승입니다.

이런 환율의 오르락내리락은 수요와 공급의 법칙 외에도 물가나 금리, 정치적, 사회적, 국제적 요인들의 영향을 받습니다.

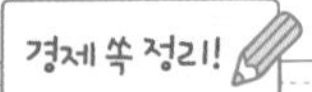

환율이 오르거나 내리면?

환율 상승: 달러값이 올랐다는 것을 의미. 즉 우리나라 돈의 가치가 내린 것이므로 평가절하되었다고 함

환율 하락: 달러값이 내렸다는 것을 의미. 즉 우리나라 돈의 가치가 오른 것이므로 평가절상되었다고 함

환율에 따라 행동이 바뀐다

우리가 일상생활에서 환율에 가장 신경 쓸 때는 아마 해외여행을 가기 직전이 아닐까 싶습니다. 해외여행을 위해 1년 넘게 열심히 저축도 하고 맛집 정보를 찾아보며 준비했는데, 여행일이 다가오자 환율이 급등하면 눈물이 나지요. 심하면 여행을 포기해야 하는 경우도 생깁니다.

유학을 하고 있는 학생이라면 환율은 일상과 더 밀접한 경제용어일 것입니다. 한국에서 부모님이 같은 돈을 보내도 환율이 오르면 외국 돈과 바꾸는 양이 적어지기 때문입니다. 그래서 환율이 올라서 한국에 있는 기러기 아빠자녀의 교육을 위해 아내와 아이를 외국으로 떠나보내고 홀로 생활하는 아빠들이 울상이라는 뉴스도 종종 나옵니다.

환율이 오르면 좋은 사람들도 있습니다. 바로 외국인에게 물건을 파는 사람들입니다. 한국에 온 외국인이 명동거리에서 1개에 250원짜리 붕어빵을 사 먹는다고 합시다. 환율이 1,000원일 때는 1달러로 붕어빵 4개를 살 수 있는데, 환율이 1,250원으로 오른다면 1달러를 주고 붕어빵 5개를 살 수 있습니다. 따라서 외국인들은 더 많은 붕어빵을 사 먹을 것이고, 붕어빵 장수는 외국인을 상대로 한 매출이 늘게 됩니다.

같은 이유로 환율이 오르면 외국에서 우리나라 물건을 더 많이 찾습니다. 싸게 살 수 있으니까요. 그렇게 되면 우리나라의 수출이 늘어납니다. 특히 주요 수출품인 반도체나 자동차가 많이 팔리며, 수출이 증가하면 물건을 더 많이 만들어야 하니 국내의 고용 증가로 이어질 수 있습니다. 하지만 환율이 오르면 수입이 감소합니다. 수입품을 비싸게 사야 하기 때문입니다. 이럴 때는 우리나라처럼 원자재를 수입해서 가공하는 나라는 비용 부담이 커질 수 있습니다.

이제 환율이 내리는 경우를 알아봅시다. 환율이 내리면 한국에 온 외국인은 명동거리에서 1달러에 5개를 사던 붕어빵을 4개만 사 먹을 수 있습니다. 따라서 붕어빵이 외국인에게는 전보다 덜 팔릴 것입니다. 우리나라에서 일하는 외국인은 자신의 나라에 돈을 송금할 때 달러로 보내야 하는데 많이 환전하지 못하니까 손해입니다. 환율이 내리면 외국에서 우리나라 물건이 덜 팔립니다. 우리나라의 수출이 적어지니 고용도 줄어들 수 있습니다. 하지만 우리가 해외여행을 갈 때는 돈을 더 많이 환전하지 않아도 되니 이득입니다. 해외의 제품을 싸게 수입할 수도 있습니다.

이처럼 환율은 동전의 양면과도 같아서 환율이 오르면 좋은 점이 있고 환율이 내리면 좋은 점도 있습니다. 환율은 오르락내리락하면서 개인과 국가의 경제에 영향을 미칩니다.

주말 아침, 아빠가 자동차 셀프 세차를 하러 가자며 늦잠 좀 자려 했던 유빈이를 깨웁니다.

"유빈아! 아빠랑 세차하고 아점아침 겸 점심으로 햄버거 먹으러 갈래?"

유빈이는 침대 위를 이리저리 구르다가 햄버거를 먹고 싶은 마음에 부스스 일어났습니다. 오래간만에 아빠와 하는 데이트가 어색했지만 따라 나섰습니다. 아침부터 셀프 세차장에 줄이 길게 서 있었습니다. 아빠는 잠시 고민하더니 "배도 고프고 기다리기 귀찮은데 주유소 가서 주유하고 기계 세차하는 것이 낫겠다"라고 했습니다. 유빈이는 뭐든 빨리했으면 하는 생각에 오케이를 외쳤습니다. 세차장을 빠져나와 주유소에 도착하고 아빠는 차창 밖으로 고개를 내밀더니 "뭐야! 이 주유소는 기름값이 비싸잖아! 안 되겠다. 다른 데 가 보자"라고 합니다.

그런데 방향을 틀어 간 다른 주유소에서도 또 빼꼼히 얼굴을 내밀고 창밖을 보며 "여기가 더 비싸네"라고 합니다. 유빈이는 좀 전의 주유소와 얼마 차이가 나지도 않는데 아빠가 유난스럽다는 생각이 들었습니다.

"아빠! 몇십 원밖에 차이가 안 나는데 그냥 여기서 주유하고 빨리 햄버거 먹으러 가요."

"몇십 원이라니? 그거야 1리터당 몇십 원이지, 모이면 몇백 원, 몇천 원이 되는 돈이야."

자동차를 운전하는 사람들은 일부러 저렴한 주유소를 찾아가면서 주유를 합니다. 우리나라는 석유 같은 원자재를 전량 수입하는 나라로 환율이 오르면 원유를 비싸게 들여와야 합니다. 덩달아 주유소의 기름값이 비싸지지요.

환율이 오르면 학생들은 상관이 없는 걸까요? 요즘은 학생도 해외직구를 많이 이용합니다. 상대적으로 저렴하기 때문이죠. 환율에 따라 같은 물건을 싸게 살 수도 비싸게 살 수도 있기 때문에 신경을 써야 할 사항입니다. 이제 환율은 더이상 어른들만 알고 해외여행 갈 때만 관심 가지는 것이 아니라 모두가 일상에서 접하는 경제상식이 되었습니다.

왜 항상 달러가 기준이 될까?

국가와 국가가 무역이나 거래를 할 때는 어느 나라 돈을 사용할까요? 만약 우리나라 물건을 아프리카에 수출한다면 물건값을 아프리카 돈으로 받을까요? 반대로 아프리카에서 물건을 수입하면 우리나라 돈으로 물건값을 지급할까요?

둘 다 아닙니다. 정답은 바로 '달러'입니다. 미국의 달러를 전 세계에서 통용되는 화폐로 정했기 때문입니다. 이렇게 전 세계 화폐의 기본축이 되는 돈을 기축통화라고 합니다. 기축통화는 무역을 할 때나 국제거래에서 화폐를 교환할 때 기본 단위가 됩니다.

그렇다면 어떻게 달러가 기축통화가 되었을까요? 제2차세계대전이라는 커다란 전쟁이 끝나고 각 나라의 화폐 가치는 불안정했습니다. 이에 1944년 7월 44개국 연합국 대표들이 미국의 브레턴우즈라는 작은 휴양지에서 모였습니다. 연합국 대표들은 어떻게 44개국의 경제를 살리고 무역을 확대할 수 있을지를 논의했습니다. 당시에는 미국의 달러, 영국의 파운드, 프랑스의 프랑, 러시아의 루블 등이 각각의 나라가 가지고 있는 금을 기준으로 가치가 매겨졌고 교환을 할 때도 기준이 다 달랐습니다. 이에 대표들은 기준을 미국의 달러로 통일하고 달러를 가져오면 언제든지 금으로 바꿀 수 있게 하기로 동의했습니다. 달러를 기축, 즉 중심이 되는 통화로 채택한 것입니다. 이것이 바로 브레턴우즈 체제입니다. 이로써 달러가 국제 무역과 거래의 결제수단이 되었습니다.

경제 쏙 정리!

전 세계에서 가장 힘이 센 통화는?

통화: 돈의 다른 말

기축통화: 기본 축이 되는 통화. 지금은 미국 달러가 기축통화임

환율은 누가 결정할까?

100원, 1,000원은 우리나라 돈원화 입니다. 그리고 미국의 1달러, 10달러, 유럽연합의 1유로, 10유로, 일본의 100엔, 1,000엔 등은 외국 돈입니다. 외국 돈을 외국통화 즉 외화라고 합니다. 외환이라는 단어와 비슷하지만 조금 다르게 쓰입니다.

외환foreign exchange은 외국과 거래할 때 쓰이는 외화, 어음, 수표 등을 통틀어서 지칭합니다. 즉 외화보다 더 넓은 의미입니다. 외화가 우리나라에서 외국으로 빠져나갈 때는 외화유출이라는 표현을 씁니다. 각 나라는 국제거래를 위해 외환을 어느 정도 가지고 있어야 하는데 그렇지 못하면 외환위기가 찾아옵니다.

시장이 물건을 파는 곳이라면 외환시장은 외국 돈, 수표 등을 사고

파는 시장입니다. 그렇다면 외환시장은 도대체 어디 있는 걸까요? 우리나라 돈을 달러로 바꿀 수 있는 곳이 은행입니다. 해외여행에 다녀와서 남은 달러를 다시 우리나라 돈으로 바꾸려 해도 또 은행에 갑니다. 즉 은행이 바로 외환시장입니다.

개인이 은행에 가서 외국 돈을 사고팔 수 있는 것처럼 은행 간에도 외국 돈을 사고팔 수 있습니다. 은행이 너무 많은 외환을 보유하고 있으면 환율이 급락할 수도 급등할 수도 있습니다. 반대로 너무 적게 보유하고 있다가 고객이 환전을 하러 왔을 때 바꿔 줄 외화가 없어 난감할 수도 있습니다. 따라서 은행은 필요 이상으로 남아도는 외환을 다른 은행에 팔기도 하고 부족하면 다른 은행에서 사 오기도 합니다.

환율은 이 외환시장에서 결정됩니다. 외환의 수요와 공급에 따릅니다. 외환을 거래하는 외환 딜러들이 외국 돈의 가격을 제시하고 상대와 서로 일치할 때 거래가 이뤄집니다. 국제 외환시장에서 거래되는 대표적인 외화에는 미국의 달러, 일본의 엔, 유럽연합의 유로, 영국의 파운드 등이 있습니다.

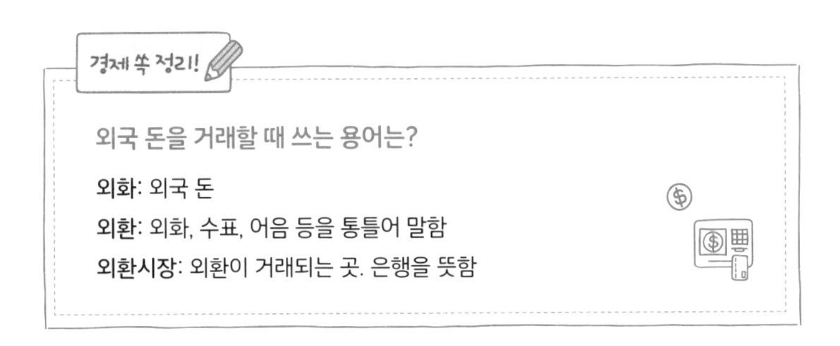

우리나라의 환율제도는?

환율을 정하는 큰 틀에는 고정환율제도와 변동환율제도가 있습니다. 고정환율제도는 말 그대로 환율이 고정되어 있는 제도를 말합니다. 정부가 외국 돈와 자국 돈의 교환 비율을 정해 환율을 일정 수준에 맞춰 놓습니다. 변동환율제도는 환율을 시장에 맡기는 제도입니다. 우리가 지금까지 살펴본 외환시장이 이 기능을 담당합니다. 전 세계 외환시장에 각 나라의 은행이 모여 서로의 돈을 사고파는데 이 수요와 공급에 따라 환율이 변합니다.

고정환율제도는 환율 변동의 위험 부담이 없어 기업들이 장기 계획을 세우는 데 유리합니다. 대신 국가 간의 무역에서 분쟁이 발생할 수 있습니다. 환율에 따라 수출과 수입 수준이 달라지는데 한 나라가 자신들에게 유리한 방향으로 환율을 바꿔 버리면 다른 나라들은 화가 날 테니까요. 반대로 변동환율제도는 외환시장의 불균형이 생길 때 수요와 공급에 의해 자연스럽게 조절되지만, 환율이 자꾸 변동하면 경제가 불안정할 수 있습니다.

현재 대부분의 나라는 고정환율제도가 아닌 변동환율제도를 채택하고 있습니다. 고정환율제도는 그 나라 돈의 가치를 시세에 반영하지 못하고 고정한 것이므로 갑자기 평가를 반영할 시 경제가 큰 충격을 받거나 국제 투기 세력의 목표가 되어 엄청난 손실을 입을 수 있기 때문입니다. 외환위기를 겪은 많은 나라태국, 멕시코, 아르헨티나, 터키가 고정환율제도에서 변동환율제도로 바꿨습니다. 우리나라도 상당 기간 고정환율제도를 채택하다가 외환위기가 발생한 1997년 이후부터 변동환율제도로 바꿨고 지금까지 이어지고 있습니다.

경제 쏙 정리!

환율제도는 어떤 것들이 있을까?

고정환율제도: 정부가 환율을 정하는 제도

변동환율제도: 외환시장의 수요·공급에 따라 환율이 결정되는 제도

나 혼자 환전해서 미국 간다

유빈이가 꿈속에서 미국을 간 것은 진짜 미국에 갈 일이 있어서였는지도 모르겠습니다. 가족과 함께 가는 해외여행은 아니지만 미국에서 홈스테이를 할 기회가 생긴 것입니다. 구청에서 기획한 미국 홈스테이 프로그램으로 2주간 현지 집에 머물면서 미국 공립학교 수업을 체험하게 되었습니다.

"엄마, 너무 떨려요. 괜히 신청했나 봐요."

"엄마도 걱정이 돼서 밤에 잠이 잘 안 와."

"저 안 가면 안 될까요? 갑자기 안 가고 싶어졌어요."

"좋은 기회니까 잘하고 올 수 있을 거야."

친구들은 유빈이가 2주간 미국에 간다고 하니 엄청 부러워했습니다. 친구들에게 내색은 안 했지만 기대 반, 두려움 반이었습니다.

슬슬 날짜가 다가오니 현실적으로 해야 할 일들이 생겼습니다. 우선 우리나라 돈을 달러로 환전해야 했습니다.

"그런데 엄마, 저 환전은 얼마 해 주실 거예요?"

"2주 동안 홈스테이 집에서 식사도 챙겨 주시니 돈 쓸 일이 있을까?"

"기념품도 사야 하고 만약의 상황을 대비해 비상금도 가지고 있어야 해요."

엄마는 그렇지 않아도 비상용으로 달러를 챙겨 줄지 신용카드를 줄지 생각 중이었다고 했습니다. 그러다가 외국에서 스스로 물건도 사 보고 환율에 대해 알아볼 수 있는 기회니 달러를 환전해 주겠다고 했습니다.

"유빈아! 지금 환율이 어떻게 되는지 알아보자."

엄마는 스마트폰을 꺼냈습니다.

"환율이 계속 오르고 있네."

유빈이는 환율이 오른 것을 보니 "안 되는데…" 하며 한숨을 쉬었습니다.

"10만 원만 하면 될까? 꿈에선 네 용돈으로 했지만 현실에서는 엄마 아빠가 주는 돈이니까 그 정도면 충분하겠지?"

"여유 있게 환전해 주시면 안 돼요? 꼭 남겨 올게요."

"글쎄. 돈이라는 것이 있으면 있는 만큼 자꾸 쓰고 싶어지는 거라. 외국에 나가서 신기한 기념품을 보면 막 사고 싶어질 텐데."

"걱정 마세요. 제가 누구예요. 아껴 쓸게요."

유빈이는 갑자기 애교를 부리며 엄마의 어깨를 주물렀습니다. 결국 엄마는 20만 원을 환전해 주기로 했습니다. 출국 이틀 전 환율은 달러당 1,200원이었고, 20달러짜리 네 장, 10달러짜리

다섯 장, 5달러짜리 여섯 장, 1달러짜리 여섯 장으로 166달러를 바꿀 수 있었습니다.

유빈이는 과연 얼마를 남겨 왔을까요? 이건 비밀인데요. 유빈이는 1달러도 남기지 않고 모두 쓰고 왔습니다. 엄마 말처럼 돈이 있으니 사고 싶은 물건이 계속해서 눈에 들어왔고 언제 또 미국에 오겠냐는 생각이 들었습니다. 특히 가지고 싶었던 유명 메이커 스포츠 의류를 저렴하게 파는 것을 보니 안 살 수가 없었다고 합니다. 오히려 20만 원도 부족했다네요.

100
500
7장

아이돌 콘서트 티켓이 얼마라고요?

15만 원으로 알아보는
기회비용과 경제적 선택

연말이 되면 티비에서 인기 아이돌 그룹이 총출동해 콘서트를 방불케 하는 공연을 펼칩니다.

"와! 요즘 잘나가는 가수들이 다 나왔네. 집에서도 볼 수 있으니까 좋다."

"엄마, 공연은 직접 가서 봐야 좋은 거예요. 제 친구들은 아이돌 콘서트에도 가는데…. 엄마는 아이돌 콘서트 티켓이 얼마인지 아세요?"

"글쎄, 결혼 전에 한두 번 가본 적은 있는데 요즘은 얼마나 하려나? 그런데 중학생이 콘서트에 간다고?"

"요즘은 초등학생도 가는걸요. 이틀 티켓값이 15만 원이 넘는데 다 가는 애들도 있다고요. 어떤 친구는 엄마랑 같이 해외공연까지 가서 보고 온다고 하더라고요. 애들이 그 친구 엄마는 완전 좋은 엄마라고 부러워해요."

"뭐! 15만 원? 중학생이 그렇게 비싼 돈을 주고 콘서트를 간다고? 그리고 해외까지 따라가서 공연을 본다고?"

엄마가 너무 놀란 표정을 짓자 유빈이는 엄마가 몰라도 너무 모른다는 생각이 들었습니다.

"티켓 비용만 드는 게 아니에요. 콘서트에 꼭 가져가야 하는 필수품이 있는데 뭔지 아세요?"

"그거야, 당연히 스마트폰이겠지."

"엄마도 참! 스마트폰은 기본이죠. 응원하면서 흔들 응원봉이에요. 이 응원봉도 몇만 원씩 한다고요."

콘서트 티켓이 비싼 이유

유명 아이돌 콘서트 티켓은 비싼 돈을 주고도 구하기가 하늘의 별따기라고 합니다. 티켓을 가지고 싶어 하는 사람은 많은데 티켓 수는 한정되어 있기 때문입니다. 표를 구하지 못한 사람에게 두 배, 세 배 그 이상 값으로 티켓을 파는 불법 암표도 기승을 부립니다. 어떻게 해서든 표를 구하고 싶은 팬들은 울며 겨자 먹기로 암표를 삽니다. 이처럼 원하는 사람은 많은데 재화는 한정적인 것을 경제용어로 희소하다 또는 희소성이 있다고 말합니다.

우리나라의 한 래퍼가 티셔츠와 후드티를 판매해 하루 만에 4억 원을 벌었다고 합니다. 자신이 직접 티셔츠를 팔아야 할 이유를 SNS에 올리면서 딱 4일만 판매한다고 했는데 하루에 몇억 원의 수익을 냈습니다. 주문이 폭주하자 제발 그만하라고 할 정도였습니다. 좋아하는 래퍼의 스토리와 한정판이라는 희소성에 팬들이 반응한 현상입니다.

그렇다면 희소하다는 것과 희귀하다는 것은 같은 뜻일까요? 글자가 비슷해서 뜻도 비슷할 것 같지만 경제학적인 의미는 다릅니다. 희소하다는 것은 그 수량보다 가지고 싶어 하는 사람이 더 많다는 뜻입니다. 반면 희귀하다는 것은 사람들이 원하는 것과는 상관없이 즉 수요에 상관없이 양이 적고 귀한 것입니다.

다이아몬드는 희소하다고 할까요, 희귀하다고 할까요? 양이 적고 많은 사람이 가지고 싶어 하는 '다이아몬드는 희소하다'고 할 수 있습니다. 내가 10년 동안 쓴 일기장은 희소하다고 할까요, 희귀하다고 할까요? 세상에 딱 하나밖에 없지만 시장에 판매는 할 수 없는 '내 일기장은 희귀하다'라는 표현이 맞습니다.

어떤 사람이 희소성을 노리고 콘서트 티켓을 잔뜩 사 놓았다고 합시다. 공연 날짜가 임박해져도 티켓을 팔지 못하면 휴지 조각이 됩니다. 따라서 안 팔리는 티켓은 중고 사이트에 올려 싸게 되팔기도 합니다. 희소성이 낮아지니 여기에 맞춰서 가격도 낮게 형성되는 것입니다.

물건의 가격은 어떤 물건이 얼마나 희소한지 알려 주는 지표입니다.

시장에서 결정되는 가격은 수요와 공급에 의해 결정되며 소비자들이 얼마나 원하느냐에 따라 물건의 양이 결정됩니다. 원하는 사람은 많은데 그 양이 충분하지 않으면 가격도 비싸집니다. 금이나 다이아몬드는 비싸게 거래되지만 길거리에 흔하게 있는 돌멩이는 가격이 없습니다. 가격이 0원이면 희소하지 않은 것입니다.

많은 사람이 좋아하는데 그 수량이 한정된 한정판, 리미티드 에디션도 그렇습니다. 다른 사람이 갖기 전에 빨리 움직여서 제품을 손에 넣는 성취감도 느낄 수 있어 어른, 아이 할 것 없이 열광합니다. 연예인의 사진을 가지고 만드는 연예인 굿즈뿐만 아니라 영화나 애니메이션 관련 상품이 한정판으로 출시되는 것도 이런 희소성을 노린 것입니다. 이를 좋아하는 사람들은 한정판을 갖기 위해 지갑을 엽니다. 한 프랜차이즈 카페는 연말이 되면 다이어리를 한정판매하는 이벤트를 여는데 이것을 얻으려면 커피를 일정 수량 이상 마셔야 합니다. 결과적으로는 시중에 판매하는 다이어리보다 비싸게 주고 사는 셈이지만 해마다 인기가 높아지고 있습니다.

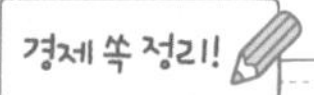

희소하고 희귀하다?

희소성: 수요가 많은 것에 비해 상대적으로 양이 적음
희귀성: 수요와 상관없이 양이 절대적으로 적음

우물에서 물을 길어 먹던 시절에는 물을 사 먹는 사람이 없었고 수도요금을 내지도 않았습니다. 지금은 편의점에 생수 코너가 따로 있고 수도요금도 냅니다. 이것도 희소성과 관련이 있습니다. 깨끗한 물을 마시고 싶어 하는 사람은 많은데 환경오염으로 물이 오염되었으니 정화된 물을 사 먹는 것입니다.

과거에는 물을 사 먹는다는 것은 생각하지 못했는데 지금은 정수기 물이나 생수를 사서 마시는 일이 평범해졌습니다. 이때 물이 자유재였다가 경제재가 되었다고 말합니다. 자유재는 공기나 햇빛처럼 누구나 원하면 대가를 치르지 않아도 사용할 수 있는 것을 말합니다. 자유재는 그 수가 많든 적든 희소성과 관련 없이 경제적 가치가 없는 재화입니다. 반면 경제재는 옷이나 자동차처럼 대가를 치러야 얻을 수 있는 것을 말합니다. 경제적 가치가 있다는 의미입니다. 여기서 희소성의 원칙이 적용이 됩니다.

하고 싶고, 먹고 싶고, 가고 싶은 곳이 많은 우리의 욕구를 충분히 만족시킬 만한 돈이나 자원은 무한하지 않습니다. 따라서 적은 자원을 가지고 최대한 만족하는 선택을 해야 합니다. 경제문제는 바로 이 자원의 희소성 때문에 일어난다고 할 수 있습니다.

대부분의 사람은 시간이 걸리더라도 원하는 것을 사기 위해 돈을 모웁니다. 괴로움을 참아야 하는 시간이죠. 그런데 돈이 많아 원하는 것을 고민 없이 바로바로 산다고 하면 더 이상의 욕구가 생기지 않을까요? 그렇지 않습니다. 하나를 얻은 사람은 또 다른 새로운 욕망과 기대를 가지게 됩니다. 매일매일 새로운 상품이 쏟아져 나와 자극까지 합니다. 결국 한정된 시간과 돈을 어디에 어떻게 사용할지 생각하며 사는 것은 우리 모두의 과제입니다.

스마트폰을 보고 있는데 부모님이 심부름을 시키면 어떻게 하나요? 주말에 늦게까지 자고 싶은데 자꾸 깨우면 어떻게 하나요? 둘 중 하나를 선택해야 하는 상황에서 어떻게 현명한 선택을 할까요? 좋아하는 것만 하면서 살 수는 없으니 더 고민이 됩니다.

둘 중 하나를 선택하기도 힘든데 여러 개 중 하나를 선택하는 일은 더 어려울 것입니다. 눈앞에 냉면, 우동, 돈가스가 있고 다 좋아하는 메뉴들인데 하나만 선택해야 한다고 생각해 보세요. 무엇을 먹을까 고민하다가 돈가스를 골랐다고 합시다. 그렇다면 우동과 냉면은 포기했다는 뜻입니다. 이때 특히 우동도 먹고 싶었는데 아쉽게 포기했다면, 이 우동이 기회비용이라고 말합니다. 즉 어떤 것을 선택함으로써 포기한 것들 중 가장 가치가 큰 것이 기회비용입니다. 여기서는 포기한 우동과 냉면 중에 우동이 기회비용이 되겠지요. 우동보다 돈가스를 선택해서 맛있게 잘 먹었다면 합리적인 선택을 한 것입니다. 그런데 돈가스가 너무 맛이 없었다면 우동을 선택하지 않은 것을 후회할 것입니다.

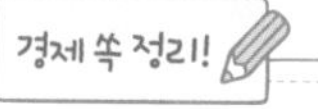

어떤 선택을 해야 할까?

기회비용: 포기한 것들 중 가장 큰 가치
합리적 선택: 기회비용이 가장 적은 선택

애니메이션 영화 〈마당을 나온 암탉〉은 주인공 잎싹이가 양계장 안에서 매일 알을 낳으며 생활하다가 양계장 마당을 탈출하면서 벌어지는 일을 그립니다. 양계장 울타리는 외부의 위협으로부터 잎싹이를 보호해 주는 장치입니다. 양계장 밖을 나가는 순간 호시탐탐 닭들을 노리는 족제비로부터 생명의 위협을 받아야 합니다. 비바람이 와도 막아 줄 울타리가 없고 매일 먹이도 직접 찾아야 합니다. 하지만 잎싹이는 위협을 무릅쓰고라도 양계장 밖 세상으로 나가서 자유를 누리고 싶어 합니다. 잎싹이는 안전한 양계장과 위협이 도사리는 바깥 세상 중에서 바깥 세상을 선택했습니다. 여기에서 잎싹이의 기회비용은 무엇일까요?

바로 선택하지 않은 양계장입니다. 안전한 양계장에 있었더라면 위험한 일을 겪지 않았을 테니 양계장에 있는 것이 더 현명한 선택이라고 생각할 수 있습니다. 하지만 잎싹이는 안전이라는 기회비용보다 자신의 꿈과 자유가 더 큰 가치라고 판단했습니다.

어떤 사람들은 잎싹이처럼 남들이 보기에 무모한 도전도 선택합니다. 실패할 수도 있고 더 큰 고통이 올 수도 있지만 도전을 하지 않으면 새로운 일은 절대로 일어나지 않으니까요. 선택을 할 때는 신중하게 하되 선택한 것이 잘못되었거나 실패의 경험담이 되었더라도 그것을 통해서 배우고 성장했다면 합리적 선택을 한 것입니다.

기회비용이 왜 중요할까?

선택한 것에 집중하면 되는데 왜 선택하지 않은 가치, 기회비용을 생각해야 할까요? 사람마다 살아가는 데 꼭 필요한 것들이 다릅니다. 누군가는 먹는 것이 가장 중요할 수 있고 누군가는 사는 곳이 무엇보다 중요할 수 있고 누군가에게는 또 다른 것이 될 수 있습니다. 따라서 내게 필요한 것이 모두에게 똑같이 중요하지는 않습니다. 사람마다 각자의 취향과 습성이 있습니다. 하지만 간절히 원하는 것이 생겼을 때는 그 욕구가 어디에서 시작되었고 무엇 때문에 생겼는지, 정말 나에게 도움이 되는 욕구인지 생각해 보는 일이 필요합니다. 그리고 선택의 결과도 생각해야 합니다.

어떤 것을 선택하고 비용을 지불했다면 자연스럽게 그 비용이 적절한지 계산해 보게 됩니다. 영화 티켓 가격이 아깝지 않을 정도로 영화가 재미있는 경우가 있고 너무 재미가 없어서 돈이 아깝다는 생각이

드는 경우도 있습니다. 차라리 그 돈을 다른 데 쓰고 그 시간에 다른 일을 했더라면 더 나았을 거라 생각합니다. 그래서 비용을 계산할 때는 기회비용까지 감안해야 합리적입니다. 실제로 들어간 비용과 기회비용을 함께 생각해야 한다는 것입니다.

그런데 대부분의 사람은 실제 쓴 돈은 인식하지만 기회비용은 크게 생각하지 않습니다. 눈에 보이지 않기 때문입니다. 어떻게 기회비용을 계산해야 할지도 사람마다 다릅니다. 학생은 편의점이나 식당에서 밥을 사 먹는 것을 더 좋아하고 부모님은 인스턴트보다는 집밥을 먹으려 합니다. 요즘은 간편하게 시켜먹거나 외식을 하는 것이 일상입니다. 집에서 요리하는 데 걸리는 시간과 비용을 생각하면 더 편리하고 비용 대비 만족스럽기 때문입니다.

후회를 덜 하도록, 비용을 들인 것에 비해 만족이 크도록 선택을 하는 것이 중요합니다. 그렇다고 바로 눈앞의 이익만을 바라봐도 안 됩니다. 또한 선택의 순간에 불확실성을 줄이고 위험에 대처하는 능력도 갖추고 있어야 합니다. 내가 선택한 것들이 모여 내가 되며 내 삶이 변하고 성장합니다. 그래서 지혜로운 선택이 이토록 어려운 것입니다.

10대의
속닥속닥
용돈 토크

저도 아이돌 콘서트 가고 싶어요

오늘은 언니가 그렇게 힘들다는 티켓팅에 성공해 콘서트를 보러 가는 날입니다. 유빈이는 그런 언니가 부럽기도 하고 화도 났습니다.

"아니, 어떻게 그 돈을 모은 거야? 엄마, 도대체 언니 용돈은 얼마나 주는 거예요?"

유빈이는 세상에서 제일 궁금한 숫자 2개가 있습니다. 하나는 엄마 월급, 또 하나는 언니 용돈입니다. 유빈이가 어렸을 때 엄마에게 월급을 물어보면 초콜릿 100개는 사 먹을 수 있다고 했고 지금은 한 달에 5억 원을 번다며 말도 안 되는 대답만 합니다. 언니에게도 용돈이 얼마인지 물어봐도 "왜 자꾸 남의 돈에 관심을 가지냐"라면서 핀잔을 주기 일쑤입니다.

콘서트 당일, 언니는 밤새 잠을 설치더니 아침 일찍 일어나서 나갈 준비를 했습니다.

"콘서트가 몇 시인데 벌써부터 챙기니?"

"오후 여섯 시 반에 시작인데 일찍 가야 해요."

언니는 즐거움을 숨기지 못하며 방방 뛰었습니다. 유빈이에게 약을 올리듯이 "유빈아! 언니가 갔다 와서 이야기해 줄게. 기다리고 있어"라고 하며 현관문을 나섰습니다. 유빈이는 괜히 심통이 나서 언니 뒤통수에 대고 가서 실망만 잔뜩 하고 오라고 중얼거렸습니다.

"언니는 티켓값을 어떻게 만들었대요?"

"엄마도 깜짝 놀랐어. 콘서트에 간다고 해서 돈을 달라는 건 줄 알았는데 이미 돈은 있다는 거야. 몇 달 동안 군것질도 참고 사고 싶은 것도 안 사고 모았대. 그러니 안 보내 줄 수가 있니? 티켓 구하기도 힘들다더니 떡하니 티켓팅까지 해 놨고."

유빈이는 언니가 이상하다는 생각도 들었습니다.

'그렇게 아이돌이 좋을까? 아니, 어떻게 몇 달 동안 먹고 싶은 것도 안 먹을 수 있어?'

밤늦게 언니가 집에 돌아왔습니다.

"콘서트 어땠어?"

"완전 대박. 다음에 또 갈 거야."

유빈이의 예상은 빗나갔습니다. 언니는 완전 흥분의 도가니였디며 콘서트 현장을 생생하게 설명했습니다. 옆에서 함께 듣고 있던 엄마는 한마디를 던졌습니다.

"유빈아! 엄마는 언니가 부럽다."

"뭐가요? 콘서트에 간 거요?"

"콘서트에 간 것도 부럽고 시간이 걸리더라도 돈을 모아서 하고 싶은 것을 한 것도 부럽네.”

“엄마도 그럼 돈을 모아서 하면 되잖아요?”

“그러게. 유빈이가 빨리 커야 엄마도 돈을 모을 수 있을 텐데…. 빨리 좀 커라, 유빈아.”

1000
10000
5000
LOVE

100
500
8장

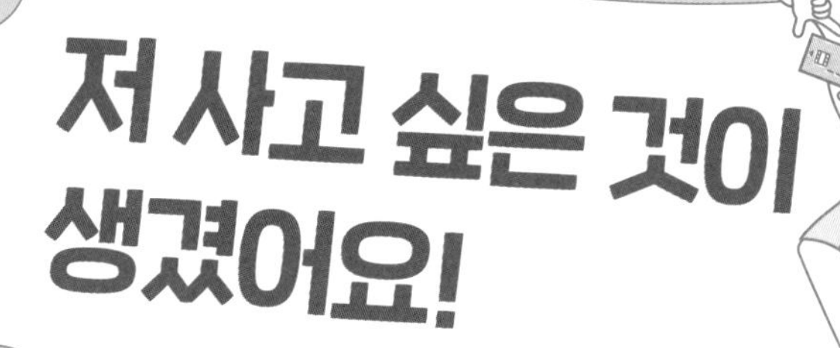

저 사고 싶은 것이 생겼어요!

30만 원으로 알아보는 예적금과 신용카드

4일간의 황금연휴가 하루, 이틀이 지나가고 있었습니다. 다른 친구들은 여행도 가고 SNS에 인생샷을 올리는데 유빈이는 며칠째 집에만 있으려니 짜증이 났습니다. 엄마의 잔소리도 늘었습니다. 엄마는 누워서 스마트폰만 보고 있는 유빈이에게 뭐라도 좀 일어나서 하라고 했습니다. 유빈이는 잔소리를 피해 거실 책장을 열고 책을 이러저리 뒤지다가 다시 쓱 하고 내려놓습니다.

"유빈아. 너 정말 아무것도 안 할 거니? 그럼 엄마가 얼마 전에 들은 이야기 하나 들어 볼래? 한 가난한 아버지와 아들 이야기야."

"이야기요? 뭔데요?"

유빈이는 할 것도 없겠다 싶어 엄마의 이야기를 조용히 듣기 시작했습니다.

어느 가난한 동네에 한 가족이 살고 있었습니다. 아버지는 열심히 일을 했지만 수입이 많지 않아 매일 끼니를 걱정하며 살았습니다. 아버지는 아들에게 가난 대신 세상을 사는 지혜를 물려주고 싶었습니다. 하루는 아버지가 아들에게 낡은 옷 한 벌을 건네며 이렇게 말했습니다.

"이 옷이 얼마나 할 것 같니?"

"1달러도 안 할 것 같아요." 아들이 대답했습니다.

"그럼 이 옷을 2달러에 팔 수 있겠니?"

"이렇게 낡은 옷을 누가 2달러나 주고 사요."

아버지는 아들에게 옷을 주면서 "네가 한 번 시도해 보렴"이라고 말했습니다. 아들은 한참을 고민하다가 고개를 끄떡였습니다.

"한번 해 볼게요. 그런데 못 팔 수도 있으니 너무 기대하지 마세요."

아들은 낡은 옷을 빨아 햇빛에 말리고 다림질을 한 후 사람들이 많이 모인 곳으로 가지고 나갔습니다. 옷을 팔기 위해 몇 시간을 소리쳤고 드디어 옷이 팔렸습니다. 아들은 2달러를 손에 꽉 쥔 채 기쁜 마음으로 아버지에게 갔습니다. 그 후로도 그는 허름하고 낡은 옷을 깨끗하게 손질해서 팔기 시작했습니다.

며칠이 지나고, 아버지는 그에게 옷을 한 벌 건넸습니다.

"자, 이번에는 이 낡고 허름한 옷을 20달러에 팔 수 있겠니?"

"아버지, 어떻게 이런 옷을 20달러에 팔라고 하세요."

아들은 값어치가 없는 옷을 팔라고 하는 것이 이해되지 않았습니다.

"지난번에도 멋지게 해낸 것처럼 잘 생각해 보면 방법이 있을 거다."

아들은 며칠 동안 고민하다가 좋은 생각이 떠올랐습니다. 그림을 잘 그리는 사촌 형에게 귀여운 캐릭터를 그려 달라고 부탁해서 학교 앞에서 파는 것이었지요. 그러고는 정말로 헌 옷을 20달러에 팔았습니다.

며칠 후 아버지는 또다시 낡은 옷 한 벌을 건넸습니다.

"이번에는 이 옷을 100달러에 팔아 보겠니?"

이제 아들은 주저하지 않았습니다. 그는 조용히 옷을 받아 들고 생각에 잠겼습니다. 두 달 뒤, 드디어 기회가 찾아왔습니다. 그는 인기 연예인이 방문한다는 곳을 수소문해 찾아가 낡은 옷을 내밀며 사인을 부탁했습니다. 인기 연예인의 친필 사인이 있는 옷을 100달러에 판다고 하니 치열한 가격 경쟁이 붙었고 결국 200달러에 팔렸습니다. 그가 집으로 돌아왔을 때, 아버지와 온 가족은 기뻐서 어쩔 줄 몰랐습니다. 아버지는 아들에게 말했습니다.

"아들아, 네가 정말 해냈구나. 정말 대단하구나."

엄마는 이야기를 마치며 유빈이에게 물었습니다.

"유빈아! 만약에 네가 저 아들이라면 어떻게 할 것 같아? 나가서 옷을 팔 수 있을까?"

"아니, 그 아버지는 왜 아들을 시킨대요? 자기가 직접 나가서 팔지."

"그런가? 아버지는 아들에게 돈 버는 방법을 알려 준 것이 아닐까?

물고기를 주지 않고 물고기 잡는 방법을 알려 주는 것처럼 말이야. 엄마가 보기에 이야기 속 아버지는 아들이 스스로 세상을 살아갈 능력을 키워 줘야 한다고 생각한 것 같아. 그래서 말인데, 평소에 네가 원하는 만큼 용돈을 주지 못하는 건 미안하지만 엄마는 네가 경제적 자립을 할 수 있는 것이 더 중요하다고 생각해. 초등학생 때는 용돈 관리도 잘하고 저축도 잘하더니 지금은 쓰기 바쁜 거 같더라…."

유빈이는 엄마 아빠가 다른 집과 다르게 경제교육을 한다며 용돈을 빠듯하게 주는 것이 늘 불만이었는데 엄마의 말에 조금은 찔렸습니다.

"사실 저축을 해야 한다는 건 아는데요. 돈 쓰는 일이 더 신나요. 새 물건을 사는 것도 좋고 택배를 기다리는 일도 설레고요. 원하는 물건을 얻었을 때는 하늘을 나는 것처럼 좋아요. 그런데 저축은 너무 고통스러워요. 저축한 돈을 엄마가 못 꺼내게 하는 것도 힘들어요."

유빈이는 솔직하게 저축의 어려움을 토로했습니다.

"사실 엄마도 저축이 너무 힘들었어. 돈 쓸 곳도 많은데 친구는 좋은 집으로 이사 간다고 하고 어떤 친구는 해외여행을 다녀와서 자랑하고 말이지. 엄마도 몇 번이나 저축하다가 그만두기도 했고. 그런데 지금은 아니야. 돈에 대한 흐름을 이해하고 인내심을 가지고 저축을 하면 돈이 모이는 걸 경험했거든. 경제생활을 잘하려면 '머니 센스'가 있어야 해. 돈에 대한 상식과 이해 말이야."

금융은 어떻게 생겨났을까?

경제는 실물경제와 금융경제로 구분됩니다. 실물경제는 실제 물건이 거래되는 경제활동을 말합니다. 반면 금융경제는 돈을 빌리고 빌려주는 것에 대한 경제활동입니다. 금융경제는 돈과 관련되기에 우리 삶에 더욱 밀접합니다. 하지만 많은 사람이 돈에는 관심이 많지만 금융은 잘 모릅니다. 모두들 부자를 꿈꾸겠지만 어른이 되면 돈 때문에 행복한 일보다 힘든 일이 더 많습니다.

금융생활은 우리의 일상이라 해도 과언이 아닙니다. 특히 모바일 환경의 발달로 대부분의 거래가 쉽고 편리하게 이뤄지면서 청소년도 인터넷으로 물건을 구매하며 금융 거래를 하고 있습니다. 부자라고 금융생활을 잘하는 것도 아닙니다. 돈이 많은 사람도 금융지식이 없으면 곤란한 일을 겪습니다. 금융지식은 학교에서 배우는 '국영수' 과목만큼이나 중요합니다.

금융은 어떻게 생겨난 것일까요? 돈이 없는 사람은 '돈을 어떻게 빌

그림 12 경제의 구성

릴까'를 고민합니다. 반대로 돈이 많은 사람은 '돈을 어떻게 불릴까'를 고민합니다. 여기에서 금융이 시작되었습니다.

'시장에 가면 사과도 있고 생선도 있고 야채도 있고….' 친구들과 '시장에 가면' 노래를 한 번쯤은 불러 봤을 것입니다. 시장에 있는 물건 이름을 하나씩 붙여 나가면서 노래를 잇는 놀이지요. 여기서 시장은 누구나 알듯이 '물건을 파는 곳'을 말합니다.

금융에도 금융시장이라는 곳이 있습니다. 돈이 거래되는 시장을 말합니다. 미국의 월스트리트나 한국의 여의도 같은 금융가가 대표적인 금융시장입니다.

또한 시장에 채소를 파는 채소가게, 생선을 파는 생선가게가 있는 것처럼 금융시장에도 가게가 있습니다. 우리가 가장 많이 이용하는 금융가게는 어디일까요? 바로 은행입니다. 금융가게 중에서도 크고 대표적인 곳인 은행을 제1금융권이라고 하고 나머지 금융가게인 증권회사, 보험회사, 신용카드회사, 저축은행 등을 제2금융권이라고 합니다. 사채, 대부업은 사금융시장으로 법적으로 인정한 금융가게가 아니기 때문에 1, 2금융권에 포함되지 않습니다.

금융시장에서 금융가게라는 표현을 쓰지는 않습니다. 대신 금융회사라는 명칭을 사용합니다. 정부기관인 우체국도 금융회사로 우편 업무 외에 예금과 보험 업무도 볼 수 있습니다. 이밖에도 은행과 이름이 비슷한 저축은행, 신협신용협동조합 이라는 곳은 소형 금융회사로 은행보다 이자를 높게 주지만 안정성은 다소 떨어집니다.

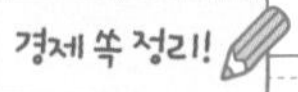

금융이 도대체 뭘까?

금융: 돈을 빌리고 빌려주는 일

금융시장: 돈이 거래되는 시장

금융회사: 금융 거래를 하는 회사

제1금융권: 우리나라 금융기관 중 예금은행을 지칭하는 용어

예금과 대출상품의 정리

은행도 가게처럼 상품을 팝니다. 은행은 어떤 상품을 팔까요? 바로 예금상품과 대출상품입니다. 은행은 예금상품에 가입해 저축한 사람에게 이자를 주는데 이것을 예금 이자라고 합니다. 반면 대출상품은 은행이 돈이 필요한 사람에게 돈을 빌려주는 상품입니다. 개인이나 회사는 돈을 빌리고 은행에 이자를 내는데 이것을 대출 이자라고 합니다.

이자 또는 금리는 돈에 대한 사용료입니다. 예금을 하고 받는 이자보다는 대출을 하고 내는 이자가 당연히 더 많습니다. 이 예금 이자와 대출 이자의 차이를 예대마진이라고 합니다. 은행은 예대마진을 통해 운영됩니다.

은행의 대표적인 예금상품으로는 보통예금과 정기적금, 정기예금이 있습니다. 각각은 상품에 따라 이자율이 다릅니다. 보통예금은 언제든지 입출금을 할 수 있는 저축상품입니다. 제한이 없는 대신 이자는 사실상 거의 없습니다. 정기예금은 목돈을 한 번에 저축하고 약속한 기간 동안 찾지 않으면 만기일미리 정한 기간이 다 찬 날짜에 원래 저축한 원금과 약속한 이자를 받을 수 있습니다. 정기적금은 목돈을 만들기 위한 예금입니다. 일정 금액을 일정 기간 동안 꾸준히 입금해서 만기일에 모아둔 돈과 이자를 한 번에 받습니다. 예를 들어 매월 3만 원씩 3년 동안 저축하면 원금 108만 원과 이자를 받습니다.

그렇다면 정기적금을 가입해 놓고 매달 저축을 못 하거나 정기예금을 가입하고 갑자기 일이 생겨서 해약하는 경우에는 어떻게 되는 걸까요? 당연히 저축한 원금을 고스란히 받을 수 있습니다. 다만 약속한 이자는 받지 못합니다.

힘들게 돈을 모으고 있는데 은행이 망하면 내 돈은 어떻게 될지도 궁금할 것입니다. 이럴 경우 예금자를 지켜 주는 제도가 있습니다. 바로 예금자보호제도입니다. 1인당 저축한 원금과 이자를 포함해서 5,000만 원까지는 예금자보호법에 의해 보호를 받습니다. 은행들은 만일에 대비해서 예금보험공사라는 국가기관에 보험을 가입하고 예금보험료를 냅니다. 따라서 은행이 망해서 영업이 정지되면 국가기관이 정한 곳에서 5,000만 원까지 지급을 해줍니다. 1개 금융회사에 1인

5,000만 원까지이므로 한 은행에 5,000만 원 이상 저축하기보다는 여러 은행에 분산해 저축하는 것이 더 안전합니다.

경제 쏙 정리!

예금과 적금은 어떻게 다를까?

보통예금: 수시로 입출금 가능한 통장
정기예금: 목돈을 한 번에 넣고 일정 기간 동안 찾지 않는 통장
정기적금: 일정 금액씩 정기적으로 저축하는 통장
예금자보호제도: 국가에서 원금과 이자를 포함해 5,000만 원까지 보호해 주는 제도

은행의 대표적인 대출상품은 마이너스 통장입니다. 마이너스 통장은 잔액 이상의 돈을 찾을 수 있는 통장입니다. 일반 통장은 잔액이 100만 원 있다면 100만 원만 찾을 수 있습니다. 그런데 마이너스 통장은 110만 원을 찾으면 잔액에 –10만 원이라고 표시됩니다. 즉 통장에 있는 돈보다 더 많은 금액을 찾아 쓸 수 있는 것입니다. 물론 마음대로 무한정 빌릴 수 있는 것은 아니고 은행이 여러 조건을 보고 한도를 정해 줍니다. 100만 원이 있는 통장에서 110만 원을 빼서 쓰고 부족한 돈 10만 원은 마이너스 표시가 되었다면, 이에 따른 대출 이자를 내야 합니다. 한도 내에서 출금이 가능하니 편리하다는 장점이 있지만 대출을 손쉽게 함으로써 빚에 둔감해질 수 있다는 단점도 있습니다.

예금과 적금의 이자 지급 방식

저금리 시대라고 하지만 그래도 은행에 저축을 할 때는 이자를 얼마나 받을지 기대하게 되지요. 실제 정기적금과 정기예금에 가입하면 이자를 어떻게 받는지 이자 지급 방식에 대해 알아보겠습니다.

1년짜리 정기예금은 목돈을 한 번에 넣어놓고 만기가 되면 저축한 금액과 이자를 받습니다. 따라서 100만 원을 넣어 두면 12개월 후에 12개월분의 이자를 지급합니다. 1년짜리 정기예금 가입 시 연 5%의 이자를 준다면 만기 이자는 5만 원이 됩니다.

정기예금의 이자 계산법

(100만 원을 1년 동안 연 5% 이자로 저축하는 경우)

첫 번째 달 : 원금 100만 원 + 12개월어치 이자 5만 원

두 번째 달 : 없음

세 번째 달 : 없음

.

.

.

열두 번째 달 : 없음

만기일에 받는 돈 = 원금 100만 원 + 1년 이자 5만 원

반면 똑같이 1년 만기에 연 5%인 정기적금에 가입했을 경우에는 계산이 조금 더 복잡해집니다. 우선 첫 달에 저축한 금액은 12개월에 대한 이자를 모두 지급합니다. 두 번째 달은 11개월만 저축한 것이니 11개월분에 해당하는 이자를 줍니다. 마지막 달은 1개월만 저축한 것이니 1개월분의 이자만 지급합니다.

정기적금의 이자 계산법

(10만 원씩 1년 동안 연 5% 이자로 저축하는 경우)

첫 번째 달 : 저축액 10만 원 + 12개월어치 이자 5,000원

두 번째 달 : 저축액 10만 원 + 11개월어치 이자 4,583원

.

.

.

열두 번째 달 : 저축액 10만 원 + 1개월어치 이자 416원

만기일에 받는 돈 = 원금 120만 원 + 1년 이자 3만 2,500원

그런데 저축을 하고 받는 이자는 이 계산대로 고스란히 받는 것이 아닙니다. 대한민국 국민이라면 소득이 생길 시 무조건 국가에 세금을 내야 합니다. 은행이 주는 이자도 소득이므로 세금이 통장에서 자동으로 빠져나갑니다. 이자에 이자소득세인 15.4%를 곱하면 됩니다. 세금

을 내기 전 이자는 세전 이자라고 하며 세금을 내고 받는 세후 이자가 실제로 받는 이자입니다.

가입하고 싶은 정기적금이나 정기예금의 이자가 얼마가 되는지 10초 만에 알아 볼 수 있는 방법이 있습니다. 포털 사이트에 '이자계산'이라고 검색하면 예금액과 예금의 종류, 기간과 이자율을 입력하고 계산할 수 있습니다.

티끌 모아 태산이라는 속담이 있습니다. 아무리 작은 것도 모으면 큰 것이 된다는 말이지만 요즘처럼 저금리 시대에는 저축해도 돈이 안 모인다고 해서 티끌 모아 티끌이라고 합니다. 그러나 컵에 담긴 물을 보고 어떤 사람은 '얼마 안 남았다'고 하고 또 어떤 사람은 '아직 많이 남았다'고 합니다. 돈을 모을 때는 생각과 태도가 중요합니다. '모아 봤자 얼마나 모이겠어'라는 생각으로 작은 돈과 이자를 우습게 알면 절대로 돈을 모을 수 없습니다. 처음에는 얼마 안 되는 돈이지만 목표 금액을 정하고 꾸준히 모으다 모면 남들은 아직 티끌일 때 티끌보다 조금 더 큰 단계로 나아갈 수 있습니다.

나의 슬기로운 카드생활

유빈이와 엄마는 통장을 만들러 은행에 갔습니다. 번호표를 뽑고 기다려야 했습니다. 큰맘 먹고 은행에 왔는데 오랜 시간을 대기하려니 좀이 쑤셨습니다. ATM기 앞에서 사람들이 카드를 가지고 은행 일을 보는 것이 눈에 들어왔습니다.

"엄마! 저도 카드 만들 수 있어요?"

"카드? 신용카드는 복잡하지만 체크카드는 쉽게 만들 수 있지."

"전부터 궁금했는데 신용카드와 체크카드는 뭐가 다른 거예요?"

"신용카드는 돈을 빌리고 갚을 수 있는 신용이 생겨야 쓸 수 있고 체크카드는 학생도 만들 수 있어. 통장에 돈이 있는 만큼 쓸 수 있는 카드인 거지."

"다른 친구들은 엄카'엄마 카드'의 줄임말를 쓰던데요. 저도 엄카 쓰면 안 돼요?"

"엄마도 카드를 주면 편하지. 네가 무엇을 사고 어디에 있는지 알 수 있으니까. 그런데 카드는 편리한 만큼 돈에 대한 감각을 둔하게 만들 수 있어. 잘 쓰면 생활을 편리하게 해 주지만 생각 없이 쓰면 불행의 씨앗이 되거든."

"저는 함부로 쓰지 않고 잘 관리할 수 있어요."

"그래? 그럼 네 통장과 연결해서 체크카드를 만들면 되겠네."

"그럼 제 통장에서 돈이 나가는 거잖아요?"

"당연하지."

스마트폰은 한 달 동안 사용을 한 후 정해진 날에 청구서가 날아옵니다. 은행에서 돈을 빌려도 약속한 날짜에 대출 이자를 내야 합니다. 이처럼 신용카드 역시 정해진 날에 카드 대금이 날아오고 이 카드값을 내지 않으면 불이익이 있습니다.

신용을 잘 관리하는 것은 현대인에게 매우 중요한 일입니다. 신용카드, 대출, 마이너스 통장 등이 모두 신용을 기반으로 하기 때문입니다. 지금은 체감이 잘 안 될 수 있지만, 어른이 되어 여러 이유로 돈을 빌려야 할 때 신용이 얼마나 중요한지 느낄 수 있을 것입니다.

'이 사람은 참 신용이 좋다'고 할 때 일반적으로 신용은 약속을 잘 지킨다는 뜻입니다. 신용이 좋은지 나쁜지는 평소 상대방이 약속을 얼마나 잘 지켰는지가 쌓여서 정해집니다. 항상 약속 시간에 맞춰서 나오는 사람은 신용이 높을 것이고, 매일 지각하는 사람은 신용이 낮을 테지요.

경제생활에서 신용이 좋다는 것은 돈을 빌릴 능력이 있다는 것을 의미합니다. 이 역시 금융회사와의 거래 이력를 통해 알 수 있습니다. 신용카드 대금을 연체하지 않고 제때 내거나 대출 이자를 제때 갚으면 신용이 좋아지지요.

청소년은 신용점수가 있을까요? 아쉽게도 미성년자는 아직 신용점수가 없습니다. 신용거래를 하지 않으니 신용이 좋고 나쁨을 판단할 수 없기 때문입니다. 은행에서는 대금을 제때 낼 능력이 없다고 판단하는 것이지요단, 2021년 6월부터 만 12세 이상은 부모의 동의가 있을 경우 제한적으로 본인 명의 신용카드를 사용할 수 있습니다.

신용카드를 가지고 은행에서 간편하게 돈을 빌리는 일도 가능합니다. 이것을 현금 서비스라고 합니다. 현금 서비스는 신용카드회사에서 돈을 빌리는 것입니다. 은행 ATM기에서 현금을 뽑거나 인터넷뱅킹으로 이체받을 수 있지요. 물론 절대 공짜는 아닙니다. 빌린 돈은 한 달 뒤 이자와 함께 카드값으로 청구됩니다. 은행에서 대출을 받으려면 각종 서류를 준비해야 하고 시간도 걸립니다. 따라서 현금 서비스는 급할 때 적은 돈을 빠르게 빌릴 수 있는 장점이 있습니다. 하지만 쉽게 이용할 수 있는 만큼 돈을 빌리는 순간부터 높은 이자를 내야 합니다.

신용카드로 물건을 살 때는 돈을 어떻게 갚을지도 선택할 수 있습니다. 한 번에 갚는 것을 일시불, 몇 개월에 나눠 갚는 것을 할부라고 합니다. 10만 원짜리 옷을 3개월 할부로 샀다면 해당 이자를 매달 내야 합니다. 무이자 할부라면 3개월 동안 이자를 내지 않아도 됩니다.

체크카드는 신용카드와 달리 청소년도 쉽게 만들 수 있는 카드입니다. 통장 계좌의 잔액 한도 내에서 사용합니다. 마트에서 3만 원어치의 물건을 구입하고 체크카드로 결제하면 바로 통장에서 3만 원이 빠져나갑니다. 통장에 3만 원이 없다면 결제가 불가능합니다. 체크카드는 비교적 만들기 쉽고 매년 내는 연회비신용카드를 이용하기 위해 일 년에 한 번씩 내는 일정액의 돈가 없습니다.

경제 쏙 정리!

신용이 왜 중요할까?

신용: 돈을 빌리고 갚는 능력. 신용에 따라 할 수 있는 금융활동 범위가 달라짐

신용카드: 사용 후 일정 기간 뒤 대금을 내는 카드

체크카드: 예금 잔액 안에서 사용하는 카드

신용카드 대금 납부 방법: 일시불, 할부, 무이자 할부

학교 도서관에서 책을 빌리는 것을 '대출'이라고 합니다. 대출한 책을 제때에 반납하지 않으면 '연체'가 되어 연체한 날짜만큼 책을 빌릴 수 없습니다. 신용카드도 마찬가지입니다. 신용카드로 물건을 구입하려면 카드를 긁고 영수증에 사인을 해야 합니다. 이때 사인을 한다는 것은 일단 물건을 가져가고 돈을 정해진 날에 꼭 갚겠다는 약속입니다. 따라서 청구일에 돈을 갚지 않으면 연체 이자를 내야 합니다. 경우에 따라 다르지만 연체 이자율이 연 20%가 되기도 합니다. 절대 적은 돈이 아니지요.

보통 30일 이상, 30만 원 이상을 연체하면 신용이 하락하고 많은 불이익을 받습니다. 금융회사 간에 연체 정보를 공유해 신용점수가 떨어지며 돈을 빌리는 것도 어려워집니다. 신용이 나쁘면 취직도 힘들어집니다. 과거에는 신용불량자라는 말을 사용했지만 지금은 채무불이행자라는 용어를 사용합니다.

신용이 재산이 되는 사회에서 신용관리는 필수입니다. 그렇다면 신용카드를 사용하지 않으면 신용이 올라갈까요? 그렇지 않습니다. 신용을 보여 줄 기록이 없으면 신용을 좋게 평가받을 수 없습니다. 그렇다고 일부러 신용카드를 많이 쓸 필요도 없습니다. 꼭 필요할 때만 쓰는 노력을 해야 합니다.

신용카드회사에서는 고객이 신용카드를 사용하도록 다양한 혜택을 제공합니다. 혜택을 받기 위해 신용카드를 여러 장 사용하는 경우도 많습니다. 하지만 편리한 만큼 돈의 크기에 둔감해지고 과소비를 할 수 있으므로 몇 번이고 생각하고 사용하는 것이 좋습니다.

경제 쏙 정리!

신용이 좋지 않으면 어떻게 될까?

채무불이행자: 신용이 좋지 않은 사람. 은행이나 신용카드회사에서 돈을 빌린 후 정해진 기한 내에 갚지 못해 각종 금융 거래를 할 수 없도록 제재를 받는 사람. 신용불량자가 차별적 언어로 인식되어 채무연체자, 채무불이행자라는 용어가 권장되기도 함

푼돈으로 눈사람을 만들어요

"유빈아! 저축은 어른들에게도 힘든 일이야. 너희보다 돈도 훨씬 많은데 왜 그런지 아니?"

"그거야 어른이 되면 쓸 곳도 더 많아서겠죠."

"잘 알고 있네. 맞아. 저축이 필요하다는 것은 알지만 현실적으로 쉽지 않으니까. 그래서 어려서부터 저축하는 습관을 들여 놔야 하는 거야. 눈사람 만들어 봤지? 처음에는 눈도 잘 안 뭉치고 눈사람이 될 것 같지도 않아 포기하기 쉽지만 계속 굴리다 보면 어느새 눈사람이 완성되잖니. 저축도 똑같아. 어느 날은 '푼돈 모아 봤자 얼마나 되겠어', '그냥 써버릴까?'라는 생각이 들다가도 '계속 모으다 보면 언젠가는 목돈이 될 거야' 같은 생각에 힘을 내기도 해. 하루에도 몇 번씩 두 마음이 부딪치고 싸우는데 이 고비를 잘 넘기면 돈이 모인단다."

"그럼 엄마 통장에도 큰돈이 모여 있는 거예요? 눈사람처럼?"

엄마는 뭔가 들킨 표정을 짓더니 이내 말을 돌렸습니다.

"남의 눈사람에 관심 갖지 말고 네 눈사람 만드는 데 집중해."

유빈이는 방에 들어가서 통장 하나를 꺼내 들고 왔습니다.

"그럼 이게 정기예금 통장인 거네요."

유빈이는 통장을 만들 때 설명을 듣기는 했지만 이제야 어떤 금융상품인지 확실히 알 것 같았습니다.

"그런데 이자가 2%네요? 저축하고 5년 동안 안 찾는 것치고는 너무 적게 주는 거 아니에요?"

"맞아! 사람들이 저축을 못 하는 건 이자 때문이기도 해. 저금리 시대라 이자가 너무 적거든. 그리고 약속한 이자를 다 받는 것이 아니라 이자소득세도 내야 해."

"말도 안 돼요! 쥐꼬리만 한 이자에서 세금을 떼다니요?"

"좀 우울한 생각이 들지. 그런데 처음 저축할 때는 이자나 세금에 대해서는 생각하면 안 돼. 의욕이 사라지니까. 그래서 일단 저축 목표부터 정하는 것이 중요해. 유빈이가 중학생이 되었으니 이제 구체적인 목표를 스스로 정해서 저축하는 습관을 들이면 좋을 것 같아."

유빈이는 다시 방으로 들어가 서랍에서 무언가 꺼내 들고 나왔습니다.

"이거 제가 그동안 꽁꽁 숨겨 놓은 비상금 5만 원인데요. 저한테는 큰돈인데 정기예금에 저축하는 것이 좋을까요?"

"하하! 큰돈이 나왔네. 그런데 정기예금에 넣기에는 금액이 적기는 하다. 보통예금에 일단 넣어 놓고 어느 정도 모이면 적금통장을 만들면 될 것 같아. 그리고 자동이체정해진 날짜에 돈이 자동으로 옮겨

가는 서비스를 신청하자. 보통예금 통장에서 적금통장으로 매월 돈이 넘어가게 해 놓는 거지. 저축할 땐 목표를 정하는 것이 좋아. 유빈이는 돈 모아서 뭐할 거야?"

"제가 가지고 싶은 무선 이어폰이 있는데 30만 원이면 살 수 있을 거 같아요. 1년 후에 더 좋은 모델이 나와서 가격이 오를 수도 있는데…. 그러면 또 못 사는 걸까요?"

"걱정 마, 유빈아! 열심히 저축하면 엄마 찬스 쓰게 해 줄게."

저축을
시작하자!

100
500
9장

만 원이 50만 원이 된다고요?

50만 원으로 알아보는 보험과 투자

학교 수업을 마치고 집에 돌아온 유빈이는 현관문을 열고 깜짝 놀랐습니다. 엄마의 발에 붕대가 감겨 있었기 때문입니다.

"엄마! 무슨 일이에요?"

"별일 아니야. 뒤꿈치를 좀 다쳐서…."

"뒤꿈치요? 아니, 어쩌다가요?"

엄마가 다친 모습을 보니 유빈이는 많이 속상했습니다.

"유빈이한테 항상 '조심해라, 안전하게 다녀라' 하고는 정작 엄마가 다치니 좀 웃기지?"

엄마는 철문 모서리에 뒤꿈치가 찢어져서 구급차를 불렀고 근처 종합병원에서 꿰매는 수술을 했다며 당시 상황을 자세하게 설명했습니다.

"인대라도 끊어졌으면 큰일이 날 뻔했어요."

"그러게. 아킬레스건을 다쳤을까 봐 걱정했는데."

"종합병원 응급실에 가서 수술한 거면 병원비도 많이 나왔을 것 같은데…."

"생각보다 많이 안 나왔더라고. 그리고 보험 처리해서 병원비는 걱정 안 해도 돼요."

보험은 왜 필요할까?

일상생활에서 언제 위험이 닥칠지는 아무도 모릅니다. 안전 수칙을 지키는 것이 무엇보다 우선이겠지만 모든 위험에 대비할 수는 없지요. 따라서 예측할 수 없는 위험이 올 때 경제적 어려움이라도 겪지 않도록 사람들은 미리 보험에 가입합니다.

위험의 종류가 다양한 만큼 보험의 종류도 많습니다. 크게 생명과 관련된 생명보험과 집, 자동차 같은 재산과 물건에 관련된 손해보험으로 나눕니다. 생명보험은 생명보험회사가 판매하고 손해보험은 손해보험회사가 판매합니다. 좀더 자세히 나눠보면 자동차 사고에 대비해 드는 자동차보험, 화재를 대비하기 위한 화재보험, 병에 걸려 아플 때를 대비한 질병보험, 다칠 때를 대비한 상해보험, 학교에서 견학을 가거나 여행을 갈 때 드는 여행자보험이 있습니다.

보험에 가입하면 고객은 매월 보험회사에 보험료를 내고 보험회사는 사고가 났을 시 보험금을 지급합니다. 이런 보험은 내가 원하면 가입할 수 있고 원하지 않으면 가입하지 않을 수 있습니다.

그런데 강제로 가입해야 하는 보험도 있습니다. 자동차보험은 자동차를 가지고 있고 운전을 하는 사람이라면 반드시 들어야 합니다. 사고가 나면 자신의 생명뿐만 아니라 다른 사람의 생명까지 위험하기 때문입니다.

또 강제성이 있는 보험이 있습니다. 감기에 걸려 병원에 가본 적이 있나요? 잘 생각해 보면 병원 진료비와 약 처방비가 생각보다 많이 나오지 않았을 것입니다. 몇천 원 안 낼 때도 많습니다. 이는 매월 부모님이 건강보험료를 내고 있는 덕분입니다. 또한 직장을 잃은 사람은 새 직장을 구하는 동안 기본적인 생활을 할 수 있도록 고용보험 혜택을 받을 수 있습니다. 회사에서 일을 하다가 다친 경우에는 산재보험 혜택을 받을 수 있습니다.

이렇게 국민의 최저 생활을 보장하기 위해 국가가 강제적으로 가입하도록 법으로 정한 보험을 사회보험이라고 합니다. 국민연금, 건강보험, 고용보험, 산재보험, 노인장기요양보험이 그것입니다. 과거에는 노인장기요양보험 없이 4대 보험이라고 불렀지만 지금은 통틀어 사회보험이라고 합니다.

알 수 없는 위험에 지나치게 불안해 할 필요는 없습니다. 하지만 아무 대비 없이 살아가는 것도 바람직하지 않습니다. 일상의 위험은 누구나 겪을 수 있는 일이며 이를 대비하는 차원에서 자신에게 맞는 보험은 어떤 것이 있는지 꼼꼼하게 따져 보고 가입하는 지혜가 필요합니다.

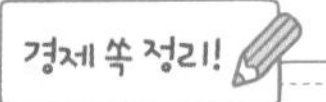

보험에는 어떤 것들이 있을까?

보험: 재해나 각종 사고를 대비해, 사람들이 미리 일정한 돈을 함께 적립해 두었다가 사고를 당한 사람에게 일정 금액을 주는 제도
보험료: 보험 가입 후 매달 내는 돈
보험금: 보험 가입 후 사고 시 받는 돈
생명보험: 생명과 관련된 보험
손해보험: 재산과 관련된 보험
사회보험: 국민의 안정된 생활을 위해 강제성이 있는 사회보장보험

주식, 경제의 흐름을 보여주다

엄마가 다쳤다는 소식을 듣고 아빠는 일찍 집에 들어왔습니다. 많이 다치지 않아 다행이라며 안도의 한숨을 쉬었지요. 평화는 잠시, 저녁을 먹은 후 유빈이와 아빠의 티비 리모컨 쟁탈전이 또 시작되었습니다.

"아빠! 뉴스는 재미없어요. 다른 프로그램 봐요."

"뉴스를 봐야 세상이 어떻게 돌아가는지 알 수 있지."

"뉴스를 봐도 무슨 내용인지 잘 모르겠어요. 코스피가 어쩌고, 주식이 저쩌고…. 저는 유튜브나 볼래요."

유빈이는 스마트폰으로 재미있는 동영상이나 보려고 했습니다.

"유빈아! 코스피나 주식이 뭔지 궁금하지 않니?"

"아니요. 하나도 안 궁금해요. 주식이 뭐 밥인가요?"

유빈이는 자신이 한 말이 재미있는지 웃음이 새어 나왔습니다.

"그게 아니라…. 경제에서 말하는 주식이 뭐냐면 말이지."

아빠와 유빈이의 대화를 지켜보던 엄마가 한마디 했습니다.

"유빈아! 네 이름으로 주식을 사 놨는데?"

유빈이는 갑작스러운 엄마의 말에 깜짝 놀랐습니다.

"그게 무슨 말이에요? 제 이름으로 주식을 샀다고요?"

그제야 유빈이는 주식이 궁금해졌습니다. 주식은 자신과 전혀 상관이 없다고 생각했는데 이게 무슨 영문인가 싶었지요.

저축을 하면 이자는 적어도 돈을 잃을 염려가 거의 없는데 비해 주식은 돈을 잃을 수도 있습니다. 따라서 주식은 위험하다는 생각이 먼저 듭니다. 유명인의 주식 실패담이나 주식에 투자해서 큰 손해를 본 이야기가 워낙 많다 보니 잘 몰라도 부정적인 느낌이 강하지요.

주식은 무엇이고 어떻게 생겨나게 된 것일까요? 1602년 네덜란드에 한 동인도회사가 있었습니다. 동인도회사는 17세기에 유럽이 동남아시아와 무역을 하기 위해 동인도에 세운 무역회사들로, 이 회사 역시 배를 이용해 차, 비단, 향신료 등을 수출입했습니다. 하지만 바다를 통한 해상무역은 풍랑과 해적을 만날 위험이 도사리고 있었습니다. 피해가 클 경우 투자한 사람들이 돈을 다 잃기도 했습니다. 이러한 위험을 줄이기 위해 네덜란드 동인도회사는 여러 명이 배 주인이 되어 위험을 같이 부담하고 이익이 생기면 나누기로 했습니다. 최초의 주식회사가 탄생한 것입니다.

주식에 대해서 알려면 먼저 여러 가지 용어에 익숙해져야 합니다. 하나씩 차분히 알아봅시다. 주식회사는 주식을 발행한 회사입니다. 이 회사의 주식을 가지고 있는 사람을 주주라고 합니다. 주식을 갖는다는 것은 회사를 만들지 않아도 소유할 수 있다는 의미입니다. 주식을 1주만 가지고 있어도 주주라고 할 수 있지요. 한 회사의 주식 중 많은 몫을 가진 대주주가 되면 실제로 기업의 의사결정에 영향을 미칠 수 있습니다.

그렇다면 회사는 왜 주식을 발행할까요? 회사가 주식 1억 원어치를 발행하면 주식시장에서 거래되어 그만큼의 돈이 들어올 것입니다. 그러면 회사는 이 돈으로 사업을 더욱 확장할 수 있습니다. 이처럼 회사는 주식을 통해 많은 사람의 돈을 투자받을 수 있습니다.

반면 회사가 발행한 주식을 산 사람은 주식의 가격이 오르면 돈을 벌게 됩니다. 따라서 저축이 돈을 모으는 방법이라면 주식 투자는 돈을 버는 방법입니다.

주식을 팔지 않아도 돈을 버는 방법이 있습니다. 바로 배당금입니다. 회사는 이익이 많이 발생했을 경우 이익의 일부를 주식을 가지고 있는 주주에게 나눠 주기도 합니다. 이것을 배당금이라고 합니다.

주식 가격이 비싸면 좋은 회사이고 싸면 좋지 않은 회사일까요? 꼭 그렇지만은 않습니다. 회사의 가치보다 주식의 가격이 높게 형성될 수 있고 회사의 가치가 낮게 평가되어 주식의 가격도 낮게 형성될 수도 있습니다. 거품이 낀 주식은 폭락할 수 있으니 신중히 생각하고 투자해야 합니다.

한 회사가 발행한 모든 주식의 수를 거래되는 주식 가격에 곱한 액수를 시가총액이라고 합니다. 2020년 9월을 기준으로 우리나라 시가총액 1위 기업은 삼성입니다. 시가총액이 약 360조 원입니다. 미국의 시가총액 1위 기업은 애플입니다.

어떤 회사의 주식을 산다는 것은 그 회사의 성장 가능성을 보고 투자를 하는 것입니다. 회사의 성장은 하루아침에 이뤄지는 것이 아닙니다. 그날그날의 주가에 따라 주식을 짧게 사고파는 것이 아니라 장기적으로 회사가 잘 성장하고 있는지 관심을 가지고 지켜봐야 합니다. 또한 사회, 경제적 상황은 예측할 수 없기에 한 회사의 주식만 가지고 있는 것보다는 여러 회사의 주식을 분산해서 가지고 있는 것이 위험을 줄일 수 있는 방법입니다. 이것이 투자의 원칙인 장기투자와 분산투자입니다.

경제 쏙 정리!

주식은 왜 하는 걸까?

주식: 기업의 소유권. 주주는 주식회사의 의사결정에 관여하거나 주식을 사고팔아서 그 차액을 벌어들일 수 있음
주식회사: 주식을 발행한 회사
주주: 주식을 가지고 있는 사람
배당금: 주주들에게 주는 이익금
시가총액: 주식회사가 발행한 모든 주식의 금액

뉴스를 보면 코스피 지수, 코스닥 지수라는 단어가 자주 나옵니다. 코스피는 우리나라 대기업, 중견기업의 주식이 거래되는 주식시장을 말합니다. 종합주가 지수라고도 부르며 경제를 이끄는 큰 회사들이 포진되어 있기 때문에 시장 전체의 주가 움직임을 측정하는 지표로 활용됩니다. 반면 코스닥은 중소기업이나 성장 가능성 있는 벤처기업의 주식이 거래되는 주식시장입니다.

주식시장에서 거래되는 모든 주식이 평균적으로 얼마나 오르고 내렸는지는 코스피 지수를 보고 알 수 있습니다. 주가 지수들은 주가가 과거에 비해 얼마나 뛰었는지를 비교치로 나타냅니다. 예를 들어 코스피 지수는 1980년 1월 4일을 기준으로 삼아 100포인트라고 가정하고 현재의 평균 주가가 상대적으로 얼마나 올랐는지를 계산합니다. 뉴스에서 코스피 지수가 2,000포인트라고 하면 1980년 1월 4일에 비해 평

균적으로 주가가 스무 배 올랐다는 뜻입니다.

세상에는 수많은 주가 지수가 있습니다. 예를 들어 미국의 경우 우리나라의 코스피 지수에 해당하는 지표가 다우 지수이며 코스닥 지수에 해당하는 것이 나스닥 지수입니다.

경제 쏙 정리!

코스피와 코스닥이 뭘까?

코스피: 상장된 대기업, 중견기업의 주식이 거래되는 주식시장
코스닥: 중소기업과 벤처기업의 주식이 거래되는 주식시장
종합주가 지수: 코스피 지수. 주식시장에서 거래되는 전체 종목의 주가 움직임을 표시한 수치

채권, 회사에게 돈을 빌려주다

주식 말고도 투자라고 하면 떠오르는 단어가 있나요? 아마 채권이라는 단어도 익숙할 것입니다. 꼭 투자 관련해서가 아니더라도 유명인의 빚 관련 뉴스에서 채권추심 같은 표현을 들어 봤을 수 있지요. 채권이란 정확히 무엇일까요?

어떤 사람이 큰돈을 빌리려고 합니다. 돈을 빌려주려는 사람은 말로 약속한 내용은 믿을 수 없으니 돈을 빌렸다는 내용을 종이에 써서 달

라고 합니다. 빌린 사람은 금액, 기간, 이자, 이름 등을 적고 사인을 해서 주는데 이것을 차용증이라고 합니다. 이렇게 개인 간에 쓰는 차용증처럼 회사나 정부가 큰돈을 빌리고 싶을 때도 돈을 빌렸다는 증서를 씁니다. 이것이 바로 채권입니다.

회사가 온전히 자신의 돈만 가지고 사업을 할 수 있다면 좋겠지만 그럴 정도로 자산이 많은 회사는 거의 없습니다. 이때 회사는 '돈 좀 빌려주세요. 언제까지 이자 얼마와 함께 갚을게요'라며 채권을 발행합니다. 회사뿐만 아니라 지방자치단체, 정부도 채권을 발행합니다. 기업과 국가가 발행해 일반 사람에게 판매하는 채권은 일반 은행보다 이자가 높고 주식보다 안전한 편입니다.

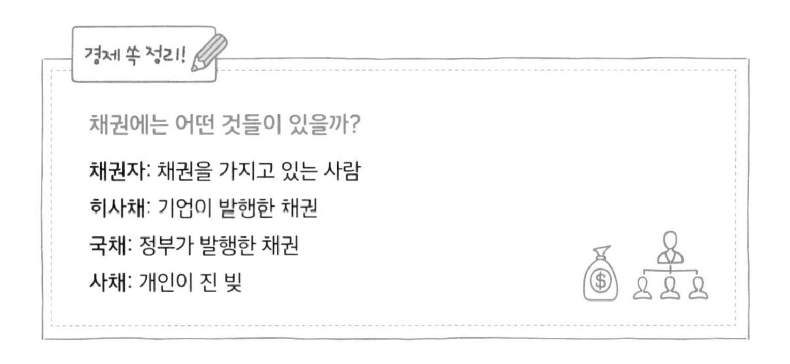

채권이 만기가 되면 회사는 돈을 빌려준 사람에게 원금과 이자를 줘야 합니다. 사람들은 이 이자를 받기 위해 채권 투자를 합니다.

다만 안전하고 신용이 좋은 회사는 채권을 발행할 때 굳이 많은 이자를 주지 않습니다. 반면 신용이 안 좋은 회사는 자금을 최대한 수월

하게 모으기 위해 남들보다 더 많은 이자를 준다고 약속합니다. 그중 특히 신용이 낮은 기업이 발행하는 위험한 채권을 정크본드 또는 쓰레기 채권이라고 합니다.

2020년 코로나바이러스로 국가 경제가 어려워지자 우리나라 정부는 모든 국민에게 재난지원금을 지급했습니다. 혼자 사는 1인 가구는 40만 원, 2인 가구는 60만 원, 3인 가구는 80만 원, 4인 이상 가구는 100만 원을 받았는데요. 이렇게 많은 돈은 어떻게 마련했을까요? 세금으로만 해결할 만한 금액도 아니고 돈을 무턱대고 마구 찍어 낼 수도 없었을 텐데요.

당시 중요한 재원 조달 수단 중 하나가 국채였습니다. 정부가 국채를 발행해 재난지원금에 필요한 재원을 마련한 것입니다. 이렇게 국가는 공공사업을 위해 돈이 필요하면 국채를 발행해 자금을 조달합니다.

주식은 어른들만 할 수 있는 걸까?

유빈이는 자기 이름으로 사 놓은 주식이 있다고 하니 기분이 이상했습니다. 어떤 회사 주식을 샀는지도 궁금하고 자신도 그 회사의 주인이라는 것이 신기했습니다.

"엄마! 제 이름으로 어떤 회사 주식을 사신 거예요? 혹시 저 모르게

제 통장에 있는 돈으로 사신 건 아니죠?"

엄마는 갑자기 유빈이의 눈치를 보기 시작했습니다.

"사실은 말이야. 주식을 아직 사진 않았고 네 이름으로 주식을 할 수 있게 증권회사 계좌를 만들어 놓은 거야."

"아, 뭐예요. 그럼 저한테 거짓말하신 거예요?"

유빈이는 엄마에게 속은 느낌이 들었습니다.

"지금 주식에 대해 미리 알아 두면 어른이 되어서도 신중하게 투자할 수 있을 거라고 생각해. 이참에 경제도 배우면 좋을 것 같아서 계좌만 만들어 놓았어."

유빈이는 주식에 관심이 없고 위험한 것이라는 생각도 강했습니다. 차라리 좋아하는 치킨이나 사 먹고 옷을 사 입는 것이 더 이익이라고 생각했습니다.

"엄마! 저는 주식은 하기 싫어요. 제 돈으로 해야 하잖아요. 차라리 안전한 저축이 나은 것 같아요."

엄마는 주식과 투자는 경제지식과 안목을 높이고 부자도 꿈꿀 수 있는 좋은 방법이라고 말했지만 유빈이는 요지부동이었습니다.

"유빈아! 부자가 되고 싶다고 했지? 부자는 하루아침에 되는 것이 아니야. 세상이 어떻게 돌아가는지도 알고 경제공부도 해야지."

"어렸을 때는 부자가 되고 싶었는데 지금은 아니에요. 요즘은 어른이 되어도 집 하나 갖기 힘들고 직장 얻는 것도 힘들대요. 그냥 맛있는 거 먹고 재밌는 거 하면서 가끔 저축도 하는 편한 삶을 살고 싶어요."

어린이도 청소년도 주식을 살 수 있습니다. 미성년자는 법정대리인와 함께 신분증, 가족관계증명서 등의 서류를 가지고 증권회사에 직접 방문해야 하지만요. 은행에 가서 통장을 만들면 나만의 계좌번호를 받는 것처럼, 증권회사에 가면 나만의 계좌번호를 만들 수 있습니다. 이 계좌에 돈을 입금해 놓으면 주식시장 개장 시간오전 9시부터 오후 3시 반까지 동안 자신이 원하는 회사의 주식을 사고팔 수 있습니다. 스마트폰 앱으로도 가능합니다.

인터넷으로 물건을 사면 며칠 뒤에 집으로 '택배 왔습니다' 하고 물건이 배달되지만, 주식은 실물 없이 거래 내역만 알 수 있습니다. 과거에는 주식을 사면 종이로 된 실물증권을 줬지만 대한민국의 주식을 거래하는 회사가 많아지면서 점점 전자증권으로 바뀐 것입니다. 2019년 9월부터는 한국예탁결제원이라는 곳에서 오직 전자증권 형태로만 보관하게 되었습니다.

증권회사에 계좌를 만들고 인터넷으로 주식을 사고파는 것처럼 개인이 직접 움직이는 투자를 직접투자라고 합니다. 반면 전문가에게 돈을 주고 투자를 맡기는 것을 간접투자라고 합니다. 간접투자상품 중 하나로 펀드가 있습니다. 펀드는 여러 사람이 조금씩 돈을 모아서 투자를 하는 상품을 말합니다. 여러 종류의 펀드 상품 중에서 투자하고 싶은 상품을 선택하면 전문가가 수수료를 받고 관리를 해 줍니다. 투자 대상은 일반적으로 주식이나 채권인 경우가 많은데요. 전문가라고 해서 꼭 수익을 내는 것이 아니므로 펀드 역시 손해를 볼 수 있습니다.

주식시장도 다른 시장과 마찬가지로 주식을 파는 사람이 있고 사는 사람이 있습니다. 한 사람이 얼마에 사겠다고 매수를 하고, 다른 사람이 얼마에 팔겠다고 매도를 했을 때 이 수요와 공급의 가격이 맞아 떨어지면 거래가 성사됩니다.

주식의 가격은 회사마다 다릅니다. 또한 기업의 영업실적, 정치, 경제적 여건에 따라 가격이 매일 오르락내리락을 반복합니다. 어떤 과자회사의 물건이 잘 팔리다가도 경쟁 과자회사에서 개발한 신제품이 대박이 났다면 매출이 갑자기 떨어질 것입니다. 그러면 회사의 가치가 떨어져 주가도 떨어집니다. 어떤 화장품 회사에서 만든 제품이 수출되어 아시아에서 많은 매출을 올리면 화장품 회사의 주가도 올라갑니다. 그리고 정치적, 사회적, 경제적인 이슈로 여러 회사의 주식 가격이 함께 올라갔다 내려가는 경우도 있습니다.

절대 망할 것 같지 않았는데 하루아침에 망하는 회사도 있습니다. 작은 규모로 시작했지만 시대의 흐름을 읽고 성장하는 회사도 있습니다. 누구나 오를 것을 기대하고 투자를 하지만 주식은 원하는 대로 움직이지 않습니다. 그래서 주식 투자 시 위험을 줄이기 위해서는 한 회사만 아니라 여러 회사에 나눠서 투자해야 합니다. 또한 올바른 금융

마인드를 가지고 투자하는 자세가 요구됩니다.

투기와 투자의 차이는 무엇일까요? 투기는 짧은 시간에 큰돈을 벌려고 하는 것이며 투자는 오랜 시간을 두고 공부하고 시간과 노력을 들이는 것입니다. 한 회사의 성장은 짧은 시간에 이뤄지는 것이 아니므로 기다리는 인내가 필요합니다.

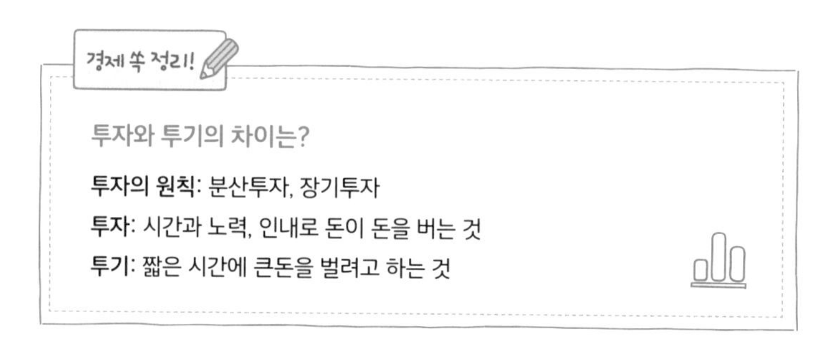

경제 쏙 정리!

투자와 투기의 차이는?

투자의 원칙: 분산투자, 장기투자
투자: 시간과 노력, 인내로 돈이 돈을 버는 것
투기: 짧은 시간에 큰돈을 벌려고 하는 것

황금알을 낳는 거위 이야기처럼 서두르면 안 됩니다. 경제의 흐름에 관심을 가지고 차근차근 종잣돈seed money 모으기부터 시작해야 합니다. 그리고 무엇보다 인내심을 가지고 회사의 성장을 지켜보면서 자신도 경제공부를 통해 성장하는 것이 중요합니다.

이제 저축의 시대를 지나 투자의 시대가 되었다고 합니다. 해마다 물가는 오르고 은행 이자는 내려가고 있습니다. 고령화 시대를 맞이해 일해서 돈을 버는 기간보다 번 돈을 사용하는 기간이 더 길어지고 있습니다. 따라서 돈을 벌면서 돈이 일하는 시스템을 만들어 놓아야 합니다. 그것이 바로 투자입니다.

투자는 미래를 위해 지금의 시간, 노력, 돈을 사용하는 일입니다. 기대와 달리 손해를 볼 수 있습니다. 하지만 대항해 시대에는 상상할 수 없는 위험이 도사리고 있었지만 결국 탐험가들은 도전을 통해 새로운 대륙을 발견했습니다. 앞으로의 세상도 예측하기 어려운 일이 많이 일어날 것이지만, 많은 정보와 기술을 습득하며 변화무쌍한 사회에 대처해 나아가야 합니다. 사회현상에 관심을 가지고 우리가 사는 세상에 행복한 변화를 줄 수 있는 회사를 찾아 투자한다면 더 가치 있는 투자가 될 것입니다.

원플러스원으로 펀드합니다

엄마는 유빈이에게 또 제안을 하나 합니다.

"유빈아! 주식 투자한다고 하니까 겁부터 난다고 했지? 혹시 펀드라고 들어 봤니?"

"펀드요? 저는 그런 거 관심 없는데…."

유빈이는 여전히 주식이니 펀드니 하는 것들에 관심이 없었습니다.

"일반인에게 주식은 참 어려워. 그래서 직접 주식을 사고파는 직접투자 말고 전문가가 대신 투자해 주는 방법도 있지. 그중 하나가 바로 펀드야. 엄마가 제안 하나 할게. 잘 들어 봐. 네 이름의 펀드를 가입해서 네가 용돈의 일부를 펀드 통장에 넣으면 엄마가 똑같은 금액을 더 넣어 줄게. 어때? 엄마가 보태 주니까 손해를 봐도 덜 아깝겠지? 원플러스원인 셈이지."

유빈이는 저축도 간신히 하고 있는데 엄마가 자꾸만 투자 이야기를 하는 것이 귀찮기까지 했습니다. 하지만 돈을 보태 준다는 말은 조금 솔깃했습니다.

"용돈도 적은데 저축이랑 펀드를 다 할 수 있을까요?"

"그러니까 아껴 쓰고 집에서 홈 알바도 해야지. 명절 때 할머니 할아버지한테 용돈 받는 것도 있고. 누가 아니, 몇 년 지나면 만 원이 50만 원이 되어 있을지…. 그때 엄마를 모른 척하면 안 된다."

"만 원이 50만 원이 될 수 있다고요? 하지만 돈을 다 잃을 수도 있잖아요?"

"물론이지. 하지만 만 원이 몇십만 원이 된다고 기대하는 것도 좋지 않겠어? 경제에 관심도 갖게 될걸? 어때, 기분 좋지?"

곰곰이 생각하니 큰 손해는 없을 것 같았습니다. 유빈이는 용돈 봉투에서 5,000원을 꺼냈습니다.

"엄마가 더 보태서 펀드에 만 원을 넣어 주는 거죠?"

"당연하지."

엄마에게 돈을 주자마자 유빈이는 아빠 옆자리에 가서 뉴스를 보고 한마디 했습니다.

"오늘 주식시장은 좀 어때요? 많이 올랐나요?"

100
500
10장

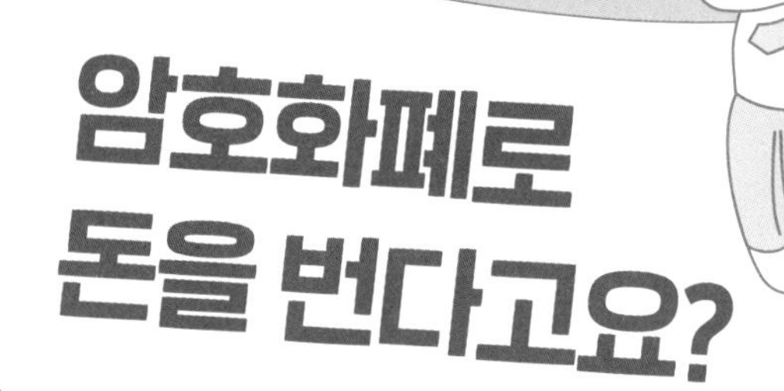

100만 원으로 알아보는
암호화폐 세상

유빈이는 아빠와 함께 외출했다가 돌아오는 길에 빵집에 들렀습니다. 이제 막 구운 빵들이 먹음직스러웠습니다. 아빠는 식빵과 모닝빵을 골랐고 유빈이는 카스텔라와 치즈빵을 골랐습니다.

계산대 앞에서 아빠는 스마트폰을 내밀며 "통신회사 포인트 사용할게요"라고 했습니다. 그러고는 금액의 일부를 통신회사 포인트로 결제했습니다.

빵집을 나오는데 바로 앞 과일 트럭 아저씨의 딸기가 유빈이의 발걸음을 잡아 이끌었습니다.

"딸기도 사면 안 돼요?"

"어쩌지. 요즘 현금을 잘 안 가지고 다녀서 못 살 것 같아."

이때 과일 아저씨가 유빈이와 아빠의 대화를 듣더니 "현금이 없으면 여기 계좌번호로 송금해 주셔도 됩니다"라고 했습니다. 유빈이는 아빠가 딸기 한 박스를 사고 그 자리에서 바로 송금을 하는 모습이 재미있었습니다. 한 손에는 딸기를, 다른 한 손에는 빵을 한가득 들고 집으로 가는 길, 왠지 부자가 된 것 같았습니다.

"어른들은 정말 편리하게 물건을 사는 것 같아요."

"그러게, 클릭 몇 번이면 물건을 사고 송금도 하는 세상이다. 세상이 너무 빨리 변해서 어떨 때는 어리둥절하다니까."

현금 없는 사회가 오다

아주 먼 옛날, 필요한 물건을 스스로 만들어 쓰던 인류는 좀더 편리한 방법을 찾기 시작했습니다. 처음에는 물건과 물건을 바꾸는 물물교환을 하다가 이윽고 조개껍질이나 쌀과 같은 물품화폐를 가지고 거래를 했습니다. 이후에는 금속으로 만든 금속화폐를 사용했고 좀더 편리한 지폐 즉 종이화폐도 만들었습니다. 이후 신용카드가 나왔고 지금은 스마트페이로 더 편리하게 경제생활을 하고 있습니다. 화폐는 인류와 함께 발전해 왔습니다. 그리고 이제는 '현금 없는 사회'로 가고 있는 중입니다.

클릭 몇 번으로 쉽고 빠르게 물건을 구입하는 간편 결제가 일상이 되었습니다. 스마트폰 대중화와 IT기술 발달로 앱을 다운받아 정보를 입력해 놓으면 스마트폰만으로 물건 구입이 가능합니다. 이제 더 이상 동전과 지폐는 우리에게 편리한 도구가 아닙니다.

우리의 새로운 금융생활은 모바일을 중심으로 한 핀테크Fintech가 이끌고 있습니다. 핀테크는 금융Finance과 기술Technology의 합성어로 IT기술을 이용해 송금, 결제, 대출 등 금융활동을 하는 것을 말합니다. 거래를 더 편하게 할 수 있는 금융 서비스라면 모두 핀테크에 해당합니다. 스마트페이도 핀테크 중 하나입니다.

하지만 여전히 보안의 취약성은 존재합니다. 모바일 시스템이 해킹된다면 개인 정보가 도용될 수 있으며 어떤 물건을 선호하고 주로 어디에서 물건을 구입하는지 등 개개인의 일거수일투족이 그대로 드러날 수 있습니다. 빅브라더 시대가 올 수 있다는 우려도 있습니다. 빅브라더는 조지 오웰의 소설《1984》에 나오는 거대한 존재로 사회 구성원을 끊임없이 감시하고 통제합니다. 정보를 독점하고 사회를 통제하는 권력이나 시스템을 일컫는 말로 쓰이지요. 스마트페이를 이용하는 개인의 연령대, 선호 제품, 구매 장소 등은 모두 기록으로 남습니다. 따라서 개인 정보가 악용될 여지가 있습니다.

돈에 대해 무감각해질 수 있는 것도 단점입니다. 자신만의 기준이 정립되기도 전에 스마트페이를 사용하면 돈의 가치를 모르고 편리함만 추구하게 됩니다. 간편 결제는 쉽고 빠른 소비생활을 가능하게 하지만 그 전에 돈에 대한 바른 태도와 경제 마인드를 갖는 것이 필요합니다.

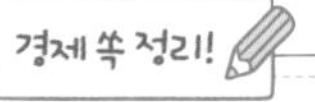

새로운 금융이 온다고?

핀테크: IT기술로 더 편리하게 만든 금융 서비스

스마트페이: 스마트폰을 이용한 간편 결제

새로운 화폐가 바꿀 미래

엄마는 친구와 통화를 시작하면 기본이 30분입니다. 유빈이는 통화 내용을 듣지 않아도 무슨 말을 할지 빤히 알 수 있습니다. 이번 대화 주제는 암호화폐였습니다.

"이번에 100만 원을 벌었다고? 암호화폐 종류도 많던데 어디에 투자한 거야?"

엄마 친구가 암호화폐에 투자해서 돈을 좀 벌었다고 한 모양입니다. 커피값을 모아 투자를 했는데 100만 원이나 벌었다는 것입니다. 유빈이는 암호화폐가 뭐길래 주식처럼 투자의 대상이 된다는 건지 궁금해서 엄마가 전화를 끊기만을 기다렸습니다.

"엄마, 암호화폐는 뭐고 암호화폐 투자는 뭐예요?"

"쉽게 말하면 암호화폐는 게임을 할 때 사용하는 아이템 같은 거야. 통신회사나 카드회사의 포인트 같기도 하고. 즉 돈처럼 쓰이는데 만질 수 있는 형태는 아닌 거지. 암호화폐도 주식처럼 가격이 오르락내리락 하니까 사람들이 투자를 하는 거야. 페이스북이랑 스타벅스 알지?"

"당연히 알죠!"

"이 회사들도 암호화폐 시장에 뛰어들었다는 뉴스 들어 봤니? 우리나라의 삼성 같은 회사도 이러한 흐름에 가세한다고 하더라고."

"정말이요? 처음 들어 보는 이야기예요."

"전 세계 어디서든지 은행을 거치지 않고 거래를 하는 세상이 되는 거지."

인류와 함께 변화해 온 화폐는 이제 암호화폐까지 발전했습니다. 일반적으로 화폐는 각 나라의 중앙은행에서 만들고 통화정책에 따라 돈의 양을 조절합니다. 우리나라 같은 경우에는 중앙은행인 한국은행에서 이 일을 맡고 있습니다.

하지만 2008년 전 세계가 금융위기를 겪고 은행들이 줄줄이 파산하는 것을 보면서 사람들 사이에서 중앙은행에 대한 불신이 자라났습니다. 이에 암호화폐라는 것이 생겨났습니다. 암호화폐는 화폐는 국가가 만드는 것이고 눈으로 보고 손으로 만질 수 있어야 한다는 생각을 뒤집어 놓았습니다. 실물은 아니지만 일부 온라인과 오프라인에서 사용 가능하기 때문에 돈의 역할을 한다고 할 수 있습니다. 대표적인 것이 비트코인Bitcoin 입니다.

비트코인은 정보의 기본 단위인 비트bit와 동전coin의 합성어입니다. 비트코인을 처음 만든 사람은 나카모토 사토시입니다. 그는 나이도, 성별도, 인종도, 실존 인물인지도 모른 채 모든 것이 베일에 쌓인 인물입니다. 어느 날 갑자기 나타나 비트코인이라는 개념을 제시했습니다. 어려운 수학문제를 푸는 것처럼 컴퓨터를 무수히 돌려 해시값을 찾으면 그 대가로 비트코인을 얻을 수 있도록 만들었다고 합니다. 이를 채굴한다고 합니다. 하지만 새로운 비트코인을 채굴하기는 쉽지 않아서 지금은 이미 있는 비트코인을 일반인들이 사설 거래소를 통해서 사고파는 것이 대부분입니다.

암호화폐를 거래할 수 있는 계좌를 전자지갑이라고 합니다. 암호화폐는 블록체인이라는 기술을 통해 거래가 됩니다. 블록이 체인처럼 연결되었다는 뜻입니다. 블록체인은 거래가 생길 때마다 그 내용을 담은 블록이 생성되고 서로 체인으로 연결됩니다. 이 거래 내역은 네트워크에 있는 모든 사람이 동시에 같은 내용을 복제해 저장합니다. 한마디로 말하면 분산된 공개 장부라 할 수 있습니다.

일반적으로 은행과 거래를 하면 나와 은행만 거래 내용을 알 수 있습니다. 반면 블록체인을 통한 거래는 거래가 이뤄질 때마다 모든 내용을 공개해서 여러 사람이 함께 내역을 공유합니다. 따라서 거래 내역을 위조하는 것이 원천적으로 불가능합니다. 내 장부는 바꿀 수 있지만 다른 사람의 장부까지 모두 바꿀 수는 없으니까요.

해외에 나갈 때 환전을 하면 수수료를 은행에 지불합니다. 하지만 암호화폐는 환율의 영향을 받지 않고 수수료 같은 비용도 발생하지 않습니다.

이런 암호화폐에도 문제점이 있습니다. 누구나 거래할 수 있고 누가 가지고 있는지 알리지 않아도 된다는 점을 악용해 검은 돈으로 쓰일 수 있는 것입니다. 화폐로서의 기능보다 투자의 기능이 더 크게 인식되는 경향도 많습니다.

경제 쏙 정리!

새로운 화폐가 생겼다고?

암호화폐: 사이버상에서만 거래되는 전자화폐의 일종으로 암호화 기술을 사용해 만듦
블록체인: 거래 내역이 블록에 기록되어 모두가 공유하는 분산된 공개 장부 기술

새로운 금융생활을 위해

그동안 화폐는 정부가 통제하고 중앙은행이 만들어 관리하며 법으로 정해진 것들만 사용해야 했습니다. 그래서 많은 국가가 아직 암호화폐를 공식 화폐로 인정하지 않은 상태입니다. 국가 권력이 분산될

수 있는 문제이기 때문이죠.

대신 많은 경제활동이 온라인에서 이뤄지는 지금의 디지털 경제에서는 오히려 기업들이 암호화폐를 만들고 있습니다. 은행 없이도 거래서비스를 이용할 수 있도록 해 암호화폐로 새로운 비즈니스를 창출하려는 것입니다.

전 세계 23억이 넘는 회원을 보유하고 있는 페이스북이 리브라libra라는 암호화폐를 만든다고 해서 화제가 되었습니다. 페이스북은 리브라를 실제 경제생활에서 사용하는 돈처럼 쓰이게 하겠다고 발표했습니다. 금융 시스템에서 소외된 사람들을 돕겠다고는 하지만 기업의 목적인 이윤추구를 간과할 수는 없습니다.

페이스북뿐만 아니라 스타벅스, 우리나라에서는 삼성전자, 네이버, 카카오 등과 같은 기업이 암호화폐 시장에 뛰어들고 있습니다. 이 기업들은 인터넷환경과 IT기술의 발달로 변화하는 금융환경에서 발 빠르게 대처해 나가고 있습니다. 각 국의 정부 역시 정부 주도 하에 중앙은행 디지털화폐Central Bank Digital Currency를 만들고 있습니다. 우리 개인도 변화를 인식하고 금융생활과 경제생활을 어떻게 해야 하는지 고민해야 합니다. 더 나은 선택과 소비를 하는 금융 소비자가 되어야 합니다. 소비의 편리함만 누리고 현재만 생각한다면 준비된 미래는 없습니다.

돈을 벌지 않는 청소년은 이렇게 말합니다.

"부모님이 주는 용돈으로 생활하고 공부하기도 바빠요. 경제공부는 어른이 되어 돈을 벌면 그때 생각해 볼게요."

대학을 졸업하고 직장생활을 하는 청년은 이렇게 말합니다.

"저한테 저축이니 투자니 하는 것을 기대하지 마세요. 직장을 다닌 지 얼마 안 되었고 취미생활도 해야 하고 옷도 사 입어야 하고 자동차 할부금도 내야 해요. 인생을 좀더 즐기다가 생각해 볼게요."

결혼을 하고 가정을 꾸린 어른은 이렇게 말합니다.

"제가 지금 어떻게 경제공부를 할 수 있겠어요? 애들도 키워야 하고 돈 들어갈 데가 얼마나 많은데요."

경제생활이 빠듯한 장년은 이렇게 말합니다.

"아이들을 키우면서 학자금 대출도 받았고 집 장만을 위해 빚을 너무 많이 져서 여전히 저축과 투자를 할 수 없어요. 경제공부는 무슨…."

곧 퇴직을 앞둔 중년은 이렇게 말합니다.

"젊었을 때 경제공부 좀 할 걸 그랬어요. 저축과 투자를 못한 게 후회됩니다."

10대의
속닥속닥
용돈 토크

할머니도 전자지갑을 가질 수 있을까?

"우리 유빈이가 오랜만에 할머니 집에 왔네. 학교생활 잘하고 있지?"

주말 오전, 유빈이네는 할머니집에 놀러 갔습니다.

"자, 할머니가 공부도 열심히 하고 친구들하고 잘 지내라고 주는 용돈이야."

유빈이는 좀 쑥스러웠지만 잠시 머뭇거리다가 꾸벅 인사를 하고 받았습니다.

"할머니, 감사합니다."

"그래, 어여 지갑에 넣어 놔. 잃어버릴라."

안 그래도 유빈이는 생일선물로 받은 지갑을 며칠 전에 잃어버려서 속이 상해 있었습니다.

"지갑은 얼마 전에 잃어버렸어요."

"지갑을 잃어버려? 어디서 잃어버렸는데? 안에 돈을 얼마나 있었니?"

"모르겠어요. 정확히 얼마가 있었는지도 기억이 안 나요."

할머니는 물건을 항상 잘 챙겨야 한다고 하면서 얼마 전에 겪은 일을 이야기 꺼냈습니다. 할머니가 지하철 안에서 지갑을 잃어버렸고 지하철 분실물 센터에서 지갑을 찾아가라고 연락이 왔다고 합니다. 직원이 진짜 할머니 지갑인지 확인하기 위해 지갑 안에 얼마가 들어 있는지 아냐고 물어봤는데 할머니는 10원짜리까지 정확히 기억하고 있었습니다. 직원이 깜짝 놀라 "아니 어떻게 그렇게 정확히 기억하시냐?"라고 했더니 할머니는 "내 지갑 안에 돈을 내가 모르면 누가 알겠소!"라고 되려 큰소리를 쳤다고 합니다. 유빈이는 할머니의 말을 듣고 조금 찔렸습니다. 앞으로는 내 돈, 내 물건을 더욱 소중히 챙겨야겠다고 생각했습니다.

집에 오는 길, 엄마를 유심히 보니 엄마 역시 지갑을 가지고 다니지 않았습니다.

"엄마! 요즘은 왜 지갑을 안 들고 다니세요? 혹시 저처럼 잃어버린 거예요?"

"아! 지갑? 요즘은 스마트폰에 다 넣어 놓고 다니잖아. 지갑을 가지고 다닐 일이 없어."

유빈이는 외출할 때마다 지갑과 교통카드와 약간의 비상금 등 챙겨야 하는 것이 많은데 어른들은 스마트폰 하나면 다 해결되니 빨리 어른이 되었으면 좋겠다고 생각했습니다.

나가며

나의 가치는 얼마일까요?

"밥은 조금만 주세요."

"고기 반찬 없나?"

"입을 옷이 없네. 신발도 없고."

냉장고가 가득 차도 먹을 게 없고, 옷장에 옷이 넘치고 신발장에 신발이 쌓여 있어도 또 옷과 신발을 주문합니다. 지금 우리는 인류 역사상 가장 풍요로운 시대를 살고 있다고 해도 지나친 말이 아닙니다. 하지만 1개가 있으면 2개가 가지고 싶고, 원하는 것을 얻으면 금세 또 다른 것을 찾기 마련입니다. 동시에 돈이면 다 된다는 황금 만능주의가 팽배합니다. 주머니 사정이나 텅 빈 통장 잔고, 빌린 돈은 생각하고 싶지 않으며 머니 센스는 더더욱 없습니다.

자본주의 사회를 살아가면서 꼭 필요한 것이 머니 센스입니다. 머니 센스 즉 돈에 대한 감각이 있어야 지속 가능한 경제생활을 할 수 있습니다. 나에게 돈이란 어떤 가치를 가지고 있는지 생각해야 합니다. 부자에 대한 나만의 기준이 있어야 행복할 수 있습니다. 현금 20억 원이 있으면 부자라고 생각하는 사람이 있는가 하면 빌딩을 가지고 있어야 부자라고 하는 사람도 있습니다. 하지만 돈 많은 어떤 이가 큰 병에 걸렸다면 부자고 뭐고 건강이 최고라고 할 것입니다. 부자에 대한 생각은 지극히 개인적인 것이지만 자신만의 기준이 있어야 남들과 비교하지 않고 흔들리지 않을 수 있습니다. 돈에 대한 생각이 돈을 사용하는 행동으로 옮겨지며 그것이 바로 자본주의를 사는 나 자신의 모습입니다.

어느 강연자가 강의 도중 갑자기 주머니에서 5만 원을 꺼내 들었습니다. 그러고는 사람들에게 "이 돈을 가질 사람은 손을 들어 보세요!"라고 했습니다. 그러자 강연장에 있던 모든 사람이 손을 번쩍 들었습니다.

잠시 후 강연자는 5만 원을 구기더니 다시 물었습니다.

"이렇게 구겨졌는데도 가질 사람은 손 들어 주세요!"

역시나 이번에도 모든 사람이 손을 높이 들었습니다.

이번에는 강연자가 5만 원을 바닥에 던지고 구두로 밟았습니다. 강연자가 또 질문을 했습니다.

"이렇게 더러운데 여전히 가지실 분은 손 들어 보세요!"

어떻게 되었을까요? 여러분이 생각하는 것처럼 사람들은 여전히 손을 들었습니다. 더럽고 구겨져도 돈의 가치는 변하지 않고 그대로라는 것을 모두가 잘 알고 있습니다. 사람도 마찬가지입니다. 실패하고 좌절하고 넘어져도 여전히 사람의 가치는 소중합니다. 보잘것없어 보여도 사람은 가치 있는 존재입니다.

머니 센스를 장착하고 자신이 가치 있는 존재임을 인식했다면 세상에서 가장 확실한 것에 투자를 할 수 있습니다. 세상에서 가장 확실한 투자방법이 무엇일까요? 공부? 저축? 주식? 암호화폐? 이런 것 말고 정말 확실한 투자가 있습니다. 바로 자기 자신에게 투자하는 것입니다.

멋진 옷을 입고 비싼 음식을 먹고 좋은 곳으로 여행을 가고 즐겁게 사는 것이 자신에게 투자하는 일이라고 생각하는 사람도 있습니다. 공부를 하고 책을 읽으면서 지식을 쌓는 것이 투자라고 하는 사람도 있을 것입니다. 어떤 사람은 인간관계라고 할 것이고 어떤 이는 자신이 좋아하는 일을 하는 것이라고 말할 것입니다. 또 어떤 이는 건강한 몸과 생각이라고 말할 것이며 많은 경험을 통해 얻는 것이 많아야 한다고 하는 사람도 있습니다.

이 모든 것들 즉 나 자신, 나의 일상, 나의 경험, 나와 관계된 사람이 모두 나의 가치를 만듭니다. 자신의 가치를 업그레이드하는 것이 가장 확실한 투자입니다. 소중한 몸을 건강하게 관리하고, 세상 돌아가는 것에 관심을 가지고, 일상을 소중히 여기며 많이 경험하고, 좋은 관계를 맺으며 자신의 가치를 높이면 이보다 더 확실한 투자는 없습니다.

어느 날 누군가가 당신에게 이렇게 질문한다면 뭐라고 말할 수 있나요?

"당신의 현재가치를 돈으로 환산하면 얼마인가요? 그리고 당신의 미래가치는 돈으로 환산하면 얼마인가요?"

다시 한 번 물어볼까요?

"당신의 가치는 얼마인가요?"

중학생 286명에게 '돈'에 대해 묻다

2019년 전국의 중학생 286명에게 평소 용돈을 어떻게 쓰고 관리하는지를 조사했습니다. 많은 친구가 다양한 답변을 해줬는데요. 그중 일부를 소개합니다.

첫 번째 학생

중학교 (1학년) 2학년 3학년 남 (여)

1. 하루에 얼마 정도를 쓰나요? 정해져 있지 않다

2. 일주일에 얼마 정도를 쓰나요? 만 원

3. 주로 어디에 돈을 쓰나요?
   (① 간식) ② 노래방 ③ 피시방 ④ 화장품 ⑤ 옷 ⑥ 굿즈 ⑦ 저축 ⑧ 기타

4. 용돈기입장을 쓰고 있나요? 아니오

5. 집에서 경제나 용돈과 관련한 교육을 받나요? 아니오

6. 경제 관련 책이나 기사를 본 적이 있나요(동화책, 만화책도 포함)? 예

7. 주로 언제 돈을 쓰나요?
   ① 등교 전 ② 학교가 끝나고 ③ 학원에서 (④ 주말에) ⑤ 기타

8. 부자가 되면 하고 싶은 것 3가지를 말해 주세요.
   저축 많이 하기, 강아지 기르기, 필라테스나 요가 다니기

두 번째 학생

중학교 1학년 2학년 3학년 남 여

1. 하루에 얼마 정도를 쓰나요? 1,500원~2,500원

2. 일주일에 얼마 정도를 쓰나요? 만 원~만 5,000원

3. 주로 어디에 돈을 쓰나요?
   ① 간식 ② 노래방 ③ 피시방 ④ 화장품 ⑤ 옷 ⑥ 굿즈 ⑦ 저축 ⑧ 기타

4. 용돈기입장을 쓰고 있나요? 예

5. 집에서 경제나 용돈과 관련한 교육을 받나요?
   용돈기입장을 쓰면서 혼자 배움

6. 경제 관련 책이나 기사를 본 적이 있나요(동화책, 만화책도 포함)? 예

7. 주로 언제 돈을 쓰나요?
   ① 등교 전 ② 학교가 끝나고 ③ 학원에서 ④ 주말에 ⑤ 기타

8. 부자가 되면 하고 싶은 것 3가지를 말해 주세요.
   자산을 꾸준히 불리기, 간간이 가족여행 가기, 북 카페 열기

세 번째 학생

중학교 1학년 (2학년) 3학년 (남) 여

1. 하루에 얼마 정도를 쓰나요? 3,000원

2. 일주일에 얼마 정도를 쓰나요? 3만 원

3. 주로 어디에 돈을 쓰나요?

   (① 간식) ② 노래방 (③ 피시방) ④ 화장품 (⑤ 옷) ⑥ 굿즈 ⑦ 저축 ⑧ 기타

4. 우리 동네 피시방 1시간 이용료는 얼마인가요? 1,000원

5. 경제가 우리 생활에 영향을 준다면, 그 이유는 무엇일까요?

   돈이 있어야 사니까

6. 우리나라 경제는 앞으로 어떻게 될 것 같나요?

   ① 성장할 것이다 ② 정체할 것이다 (③ 하락할 것이다) ④ 기타

7. 서른 살이 되면 한 달에 얼마 정도를 벌 것 같나요? 210만 원

8. 지금 아르바이트를 할 수 있다면 한 달에 얼마 정도를 벌고 싶나요?

   80만 원

네 번째 학생

중학교 (1학년) 2학년 3학년 (남) 여

1. 하루에 얼마 정도를 쓰나요? 1,000원

2. 일주일에 얼마 정도를 쓰나요? 잘 모르겠다

3. 주로 어디에 돈을 쓰나요?

   (① 간식) ② 노래방 (③ 피시방) ④ 화장품 ⑤ 옷 ⑥ 굿즈 ⑦ 저축 ⑧ 기타

4. 우리 동네 피시방 1시간 이용료는 얼마인가요? 1,000원

5. 경제가 우리 생활에 영향을 준다면, 그 이유는 무엇일까요? 돈이 중요하니까

6. 우리나라 경제는 앞으로 어떻게 될 것 같나요?

   ① 성장할 것이다 ② 정체할 것이다 (③ 하락할 것이다) ④ 기디

7. 친구에게 돈을 빌리거나 빌려준 적이 있나요?

   1,000원 정도 빌려준 적이 있다.

8. 주위에 취업 때문에 힘들어 하는 어른이 있나요? 삼촌

도서

구정화 외 지음, 《중학교 사회2》, ㈜천재교육, 15년 개정

니콜라우스 피퍼 지음, 유혜자 옮김, 《청소년을 위한 경제의 역사》, 비룡소, 2006

다카이 히로아키 지음, 전경아 옮김, 《돈의 교실》, 웅진지식하우스, 2019

류대현 지음, 《청소년들이 가장 궁금해하는 경제상식》, 새로운제안, 2010

박미정 지음, 《적정 소비 생활》, 씨네21북스, 2016

박형준·강은진·신정아 지음, 《중학교 교과서 속 금융》, 금융감독원, 2019

서지원 지음, 《청소년 돈 스터디》, 책담, 2019

이진석 외 지음, 《중학교 사회2》, ㈜지학사, 15년 개정

존 리 지음, 《엄마, 주식 사주세요》, 한국경제신문사, 2016

중웨이웨이 지음, 남영택 옮김, 《살아 있는 경제학 이야기》, 글담, 2014

크리스티아네 오퍼만·한대희 지음, 신홍민 옮김, 《청소년 경제 수첩》, 양철북, 2007

하수정 지음, 《하마터면 돈 모르고 어른 될 뻔했다》, 어바웃어북, 2019

한진수 지음, 《미니멀 경제학: 경제 개념과 원리 편》, 중앙북스, 2019

기타

김영옥, <신문과 놀자>, 동아일보, 2018~2019년 연재 칼럼

통계청 kostat.go.kr

중학교

사회 2

III. 경제생활과 선택

1. 경제생활과 경제문제
2. 기업의 역할과 사회적 책임
3. 금융 생활의 중요성

IV. 시장 경제와 가격

1. 시장의 의미와 종류
2. 시장 가격의 결정
2. 시장 가격의 변동

V. 국민 경제와 국제 거래

1. 국내 총생산과 경제 성장
2. 물가와 실업
3. 국제 거래와 환율

천 원으로 시작하는 10대들의 경제학

초판 1쇄 2020년 9월 30일
초판 4쇄 2023년 5월 12일

지은이 김영옥

펴낸이 김한청
기획편집 원경은 차언조 양희우 유자영 김병수 장주희
마케팅 현승원
디자인 이성아 박다애
운영 최원준 설채린

펴낸곳 도서출판 다른
출판등록 2004년 9월 2일 제2013-000194호
주소 서울시 마포구 양화로 64 서교제일빌딩 902호
전화 02-3143-6478 팩스 02-3143-6479 이메일 khc15968@hanmail.net
블로그 blog.naver.com/darun_pub 인스타그램 @darunpublishers

ISBN 979-11-5633-300-5 43320